1960

BIEN VIVRE

ARMES DES
PATAPOUFS

EN QUATRE ÉCARTELÉ AVEC COMBLE PAPELONNÉ ET FLANCHIS DE GUEULES
ORNÉS DE COUVERTS D'ARGENT, QUARTS DEXTRES À LA TRUIE DE GUEULES
RAMPANT SUR BESANTS TAILLÉS AUSSI DE GUEULE ET AU TONNEAU EN
ÉCU SUR LE TOUT DU QUART DU TOUT, QUARTS SENESTRES AUX CERVELAS
POSÉS EN SAUTOIR ET À LA CHOPINE DE SABLE SUR SOUCOUPES D'ARGENT
POSÉES EN PILE.

PATAPOUFS ET FILIFERS

Descente des frères Double aux empires du sous-sol

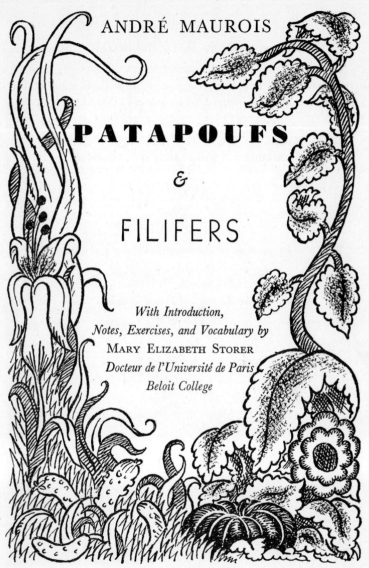

ANDRÉ MAUROIS

PATAPOUFS

&

FILIFERS

*With Introduction,
Notes, Exercises, and Vocabulary by*
MARY ELIZABETH STORER
*Docteur de l'Université de Paris
Beloit College*

D. C. HEATH AND COMPANY *Boston*

*Illustrations for the American edition have been
drawn in black and white by*
ELEANOR THAYER
*after the original French drawings
in color by*
JEAN BRULLEP

INTRODUCTION

ANDRÉ MAUROIS, THE NOTED BIOGRAPHER, NOVELIST, essayist, and lecturer, scarcely needs an introduction to the American student, as he is perhaps at present the best known of any contemporary French writer in this country. A frequent visitor to the United States, he has given courses in eastern, mid-western and far-western universities and colleges, as well as having lectured extensively before enthusiastic audiences who have been captivated by his charm, wit, and modesty. After the fall of France he resided in the United States from 1940 until 1946, continuing to write and publish extensively here.[1]

Émile Herzog, who was later to assume the pen name of André Maurois, was born in 1885 in Elbeuf, near Rouen, the son of a textile manufacturer. As he was obliged to work in his father's mills, he was hampered for many years in his longing to follow a literary career; some of the secret efforts of those early years he has recently published under the title of *Premiers contes* (Rouen 1935). They include two dramatic skits, a genre which he has scarcely touched subsequently,[2] short stories such

[1] These works have appeared in New York since 1940: *Tragédie en France, Études littéraires I et II, Mémoires, Sept visages de l'amour, Toujours l'inattendu arrive, Espoirs et souvenirs, Histoire des États-Unis, Terre promise, Études américaines, Sonnets d'E. B. Browning (traduction en vers français), Retour en France.*

[2] See, however, *Victoria Regina*, adapted from Laurence Housman's work by André Maurois and Virginia Vernon, and published in the *Petite Illustration*, May 22, 1937. It was played with success at the Théâtre de la Madeleine in 1937.

as *la Dernière histoire du monde*, "étranges choses à la Wells," which he confesses to have written at the end of days spent at the woolen mills,[1] and several sketches which show the same noble philosophy of life as their author defined recently in *Dialogues sur le commandement*.

The First World War gave to the future academician[2] leisure and material for the writing which was to make him immediately famous. As liaison officer in the British forces he composed his Colonel Bramble series, a humorous, spicy, and withal sympathetic satire on the English, which nation was destined to furnish the inspiration of much of his subsequent work. Indeed, England was to become his second "patrie." *Les Silences du colonel Bramble* was accepted in 1918 with alacrity by the Paris publisher, Bernard Grasset (who was to become his chief publisher for many years), and with enthusiasm by a very wide reading public. André Maurois's literary reputation was at once firmly established; he has continued without interruption to produce at a rapid rhythm and to maintain a wide popularity in many countries.

The noted pioneer in France of the new biography, as Lytton Strachey in England, Emil Ludwig in Germany, and Stephan Zweig in Austria, Maurois has made a signal contribution to literature and history by revivifying famous personalities which had been submerged under Victorian hagiographies. We note his predilection for British subjects in the list of his biographies: *Ariel ou la vie de Shelley*, *la Vie de Disraëli*, *Dickens*, *Byron*, *Turgeniev*, *Lyautey*, *Voltaire*,

---

[1] See *le Jardin des lettres*, mars 1934, pp. 3–4, also the *Avant-propos* of the *Premiers contes*.

[2] Maurois was elected to the French Academy in 1938 and took his seat in 1939, after the beginning of hostilities, although customarily no receptions to the Academy are held while France is at war.

Chateaubriand.[1] Critics consider either *Disraëli* or *Byron* as his best work.[2]

In his early works, much inspiration was drawn from personal experiences. That is true in the Bramble series, also in the first biographies, the subjects of which keenly interested the writer and reminded him of his own conflicts: Shelley and Disraeli for their struggles in an uncongenial or hostile atmosphere, Byron for his urge to break conventional boundaries. In fact, Maurois believes that a great biography cannot be written unless a common moral experience forms a close affinity between author and subject. At the same time, his biographies stand on a firm foundation of fact, based on extensive documentation.

The first novel, *Bernard Quesnay*, was likewise rather autobiographical, as it is the drama of two young men, one revolting against, the other submitting to, the dull life in a textile mill. *Ni Ange, ni bête* is the practice sketch out of which grew *Ariel;* while *Climats*, perhaps Maurois's best novel, is a study of the "moral atmosphere" which determined the unhappy conflicts in the lives of a husband and two successive wives. In *l'Instinct du bonheur*, members of a family group keep silent their knowledge of secret sins in order to preserve each other's happiness; whereas *le Cercle de famille* shows the tragic effect on a daughter of her mother's unworthy life, the daughter causing the same suffering to the following generation. These novels contain many elements of personal experiences, convincing glimpses of industrial circles, a faithful psychological study of stuffy, provincial *bourgeois* society, and are written in

[1] A taste for American subjects is seen in a series of short biographies for young readers published in New York during the war: *Chopin, Franklin, Eisenhower, Washington.*

[2] He is at the moment preparing a life of Marcel Proust.

that remarkably flowing style which is one of the author's chief charms.

Maurois's love of abstract and theoretical thinking, which was inculcated in the young Émile Herzog in the Lycée Corneille at Rouen by his beloved teacher, Émile Chartier (Alain in the literary world), is shown in such novels as *Voyage au pays des Articoles*, a satire on "arty" people who have lost contact with life; *le Peseur d'âmes* (a doctor tries to extract the "vital fluid" from a body after death, in the attempt to fuse two souls); *la Machine à lire les pensées*, in reality a demonstration of the inadequacy of psychoanalysis; and finally in *Mes Songes que voici*. In this last, by imagining an English colony transplanted to the moon, where, in an entirely strange environment, British customs, although meaningless, are perpetuated for generations, Maurois exposes his belief in the hypothetical character of human knowledge and the necessity of continually changing one's hypotheses, which fluidity, nevertheless, can form a relatively stable society.

Somewhat lacking in the creative imagination requisite for a really great novelist, André Maurois has recently turned more and more to the essay, history, criticism, and memoirs. In the essay, as well as in the novel, he has elaborated a philosophy of life, "un art de vivre," which evolves around a firm belief in accepted standards of morality, in a *bourgeois* honesty, and in the necessity to maintain the family and the sanctity of marriage, a philosophy more sincere than original, heartening because it reveals an inner harmony and a sense of the great dignity and value of life. To this phase of his literary career belong such titles as *Relativisme, Sentiments et coutumes, la Jeunesse devant notre temps*, and *Un Art de vivre*. Delightful personal and literary reminiscences fill his recent book of memoirs, *I remember, I remember* . . .

In his literary criticism, which forms a natural sequel to some of his biographies, Maurois has studied with fine discernment such French writers as Proust, Valéry, Gide, Claudel, Péguy, Mauriac, Duhamel (in *Proust et Ruskin* and *Études littéraires*, etc.), and Kipling and Ruskin, English favorites dating from *lycée* days, as well as Shaw, Wells, Huxley, Strachey, Wilde, etc. (in *Magiciens et logiciens* and *Études anglaises*). He has published a monumental *Histoire d'Angleterre* in addition to his *Édouard VII et son temps*, as well as a *Histoire de la France. En Amérique, Chantiers américains, États-Unis 39, Histoire des États-Unis, Études américaines, Journal: États-Unis 1946*, are the fruit of frequent visits and prolonged sojourns in this country, beginning with 1927. (He himself confesses that he is not too sure of the number or dates of these visits.) With a cordial and sympathetic attitude toward the United States and an extraordinary flair for detecting the pertinent and the picturesque in American life, Maurois reveals us to the French with fervor and vigor. Likewise, in his younger days, he interpreted the British to the French in numerous works, such as *les Anglais, le Côté de Chelsea, Conseils à un jeune Français partant pour l'Angleterre* and *l'Anglaise et d'autres femmes*. It is indeed not surprising that by special decree the Nazis should have banned the entire works of this sensitive and sympathetic interpreter of two great democratic peoples, who has become a powerful force for peace between French and Anglo-Saxons.[1]

The Second World War has stirred André Maurois deeply. In the tragic days just before the fall of France, he was sent on a tardy mission to London to beg for more

[1] See the *New York Times*, October 26, 1941, p. 6.

substantial British aid. Upon hearing of France's defeat, he and other Frenchmen in London fortified their spirit by reading some of Paul Valéry's poetry, as representing the eternal in French civilization. Two works have grown out of the conflict: *les Origines de la guerre de 1939*, published in Paris in 1939, and *Tragédie en France*, which appeared in New York in 1940.

Finally, the interest in the fanciful and imaginary, shown in such works as *le Peseur d'âmes* and *Mes songes que voici*, manifests itself in two charming books written for the delight of the author's own children, both published in 1930: *le Pays de trente-six mille volontés* and *Patapoufs et Filifers*. In the former, his daughter Michelle experienced all the joys of learning to fly in fairyland, clothed in a marvelous costume made by Mlle Céleste from a piece of the sky. The latter is the story of two brothers who differ greatly in tastes and habits, each of whom visits an imaginary country exactly suited to his own likes. Incidentally, every reader should find congenial spirits in one or the other, and amusement in the lands both of the Filifers and of the Patapoufs. In both books Maurois does a bit of philosophizing. In the country of Mlle Céleste, where one can have all one's desires fulfilled — even 36,000 of them —, one becomes unhappy just because of this magic gift. As for *Patapoufs et Filifers*, it is left to the present reader to discern its lesson.

The illustrations of *Patapoufs et Filifers*, which add greatly to the enjoyment of the tale, were made by Jean Bruller, a Paris artist who has recently become famous through his collaboration on the clandestine publications of *les Éditions de minuit* in Paris during the German occupation. Among them appeared his own masterpiece, *le Silence de la mer*, published under the pseudonym Vercors, one of the most poignant and artistic works to have come thus far out of the war, the product of a writer of great promise.

The easy style and simple language of *Patapoufs et Filifers* and the lively interest of the amusing plot should insure real enjoyment to students in the early stages of their study of the French language, which is here cleverly manipulated by the sure hand of a master.[1]

As a result of his many visits here, America has conquered André Maurois. "With no disloyalty to my beloved France," he has declared, "I embrace America. I salute its courage and audacity, its kindliness and good will, its turbulent energy and unquenchable zest . . . I think I love your country because it is the great hope of mankind. I surrender my affections to America because of its unconquerable habit of laying down its life and treasure to maintain the forces of good in the world. Against the warm earth of America, fertile with new strength and promise, I lay my heart to beat."[2] May André Maurois in turn inspire in the young American student a love of France and her language through his fanciful and charming *Patapoufs et Filifers*.

Thanks are due to the author, M. André Maurois, to the French editor, M. Paul Hartmann, and to the artist, M. Jean Bruller, whose generous cooperation has made this American textbook edition possible, as well as to the Modern Language staff of D. C. Heath and Company, for their valuable suggestions in the preparation of the text.

[1] Words above the 2000 frequency level, as determined by Vander Beke's *French Word List*, are annotated in the footnotes unless there is sufficient similarity to the English equivalents to make their meaning clear.

[2] Taken from *Why I Love America* (*Reader's Digest*, June 1943, pp. 103–104, article condensed from *Common Sense*).

CONTENTS

[xiii]

[xiv]

PATAPOUFS ET FILIFERS

CHAPITRE PREMIER

*Monsieur et Madame Double
dans leurs occupations préférées*

La Famille Double

A<small>H</small>! que vous mangez lentement! dit M. Double qui, depuis un instant déjà, pianotait[1] sur la nappe.[2]

— Pas moi, papa, dit Thierry.

— Non, pas toi, mais ta mère et ton frère.   5

Il n'y avait pas, dans toute la France, de famille plus unie[3] que la famille Double. Monsieur et Madame Double s'aimaient beaucoup et ils adoraient leurs enfants. Ceux-ci, Edmond et Thierry, se disputaient souvent — les garçons de neuf et dix ans ne sont pas des saints — mais ils ne 10 pouvaient se passer l'un de l'autre.[4] Edmond disait: « Thierry est trop taquin[5] »; mais si Thierry était absent deux jours, Edmond avait l'air d'une âme en peine.[6]

---

[1] *tapped with his fingers.*   [2] *tablecloth.*   [3] *united.*   [4] **se passer l'un de l'autre,** *get along without each other.*   [5] **trop taquin,** *too much of a teaser.*   [6] **âme en peine,** *soul in Purgatory.*

Thierry disait: « Edmond est trop brutal »; mais si Edmond était malade un jour, Thierry était malade à son
5 tour.

On ne les entendait jamais dire, comme les autres petits garçons: « Moi j'ai fait ceci, moi j'ai vu cela », mais tou-
10 jours: « *Nous, on a été au cirque* [1]...; *Nous, on a été privés de dessert*...; *Nous, on a eu la rougeole* [2]... » Enfin, ils étaient deux, mais
15 ils vivaient comme s'ils n'avaient été qu'un seul.

Pourtant, au moment des repas, le père, la mère et les deux frères s'entendaient [3]
20 un peu moins bien. Alors la famille Double se partageait en deux camps. Mme Double et le fils aîné, Edmond, attachaient une grande impor-
25 tance aux menus. Edmond, en revenant du lycée,[4] entrait dans la cuisine et demandait ce qu'on aurait pour le déjeuner, pour le
30 dîner.

*Thierry Double, dit
Fil-de-Fer, en action*

*Vue générale d'Edmond
Double, dit Patapouf*

[1] *circus.* [2] *measles.* [3] *got on together.* [4] *secondary school.* The *lycée* corresponds approximately to our grammar school, high school, and part of college. Use French word in translating.

[4]

On racontait qu'à l'âge de huit mois, étant assis à côté de la table, dans sa grande chaise de bébé,[1] il s'était jeté sur un plat[2] de viande qui passait à côté de lui, et avait saisi une côtelette[3] à pleine main.[4] Au contraire, M. Double et le cadet[5] des frères, Thierry, ne faisaient aucune atten- 5 tion à ce qu'on leur servait et demandaient seulement que l'on mangeât vite pour aller retrouver, l'un son travail et l'autre ses jouets.[6] Aussi étaient-ils tous les deux assez maigres.

—Edmond, dit M. Double, si tu continues, tu devien- 10 dras un vrai patapouf.

Mme Double regarda son fils avec inquiétude. Elle avait elle-même très peur d'engraisser[7] et comme elle ne pouvait résister au plaisir de manger des sucreries,[8] elle marchait beaucoup, s'agitait dans la maison tout le jour et 15 restait jolie.

—Comment? dit-elle. Edmond n'a rien d'un patapouf...

—Si, si, dit Thierry, qui était taquin, patapouf! patapouf! patapouf! 20

Il fit si bien,[9] qu'en sortant de table Edmond lui donna un grand coup de poing.[10] Alors Thierry pleura. Nous avons déjà dit que ces deux frères ne pouvaient se passer l'un de l'autre.

*
* *

C'était un dimanche d'été et M. Double avait promis 25 d'emmener les deux garçons dans la forêt de Fontaine-

---

[1] **chaise de bébé,** *high chair.*　[2] *dish.*　[3] *chop.*　[4] **à pleine main,** *with both hands.*　[5] *younger.*　[6] *playthings.*　[7] *of gaining weight.*　[8] *sweetmeats.*　[9] **fit si bien,** *acted in such a way.*　[10] **coup de poing,** *punch.*

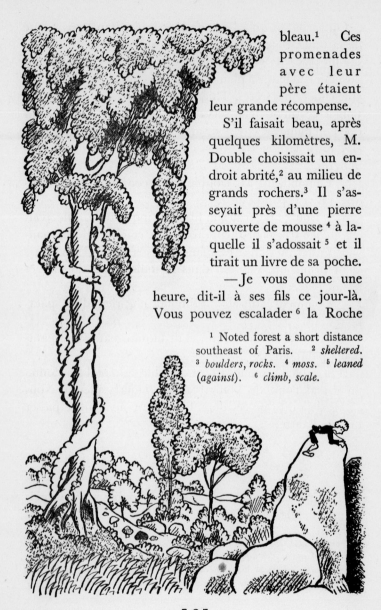

bleau.¹ Ces promenades avec leur père étaient leur grande récompense.

S'il faisait beau, après quelques kilomètres, M. Double choisissait un endroit abrité,² au milieu de grands rochers.³ Il s'asseyait près d'une pierre couverte de mousse ⁴ à laquelle il s'adossait ⁵ et il tirait un livre de sa poche.

—Je vous donne une heure, dit-il à ses fils ce jour-là. Vous pouvez escalader ⁶ la Roche

¹ Noted forest a short distance southeast of Paris. ² *sheltered.*
³ *boulders, rocks.* ⁴ *moss.* ⁵ *leaned (against).* ⁶ *climb, scale.*

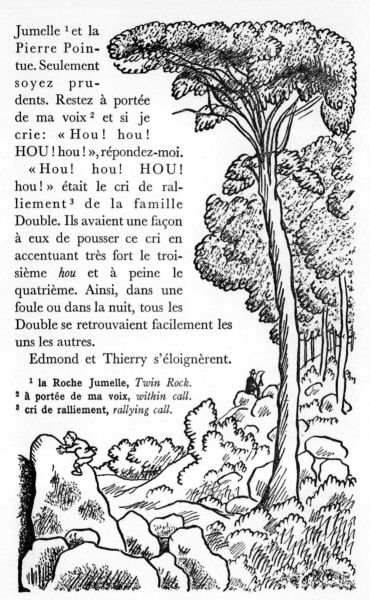

Jumelle [1] et la Pierre Pointue. Seulement soyez prudents. Restez à portée de ma voix [2] et si je crie: « Hou! hou! HOU! hou! », répondez-moi.

« Hou! hou! HOU! hou! » était le cri de ralliement [3] de la famille Double. Ils avaient une façon à eux de pousser ce cri en accentuant très fort le troisième *hou* et à peine le quatrième. Ainsi, dans une foule ou dans la nuit, tous les Double se retrouvaient facilement les uns les autres.

Edmond et Thierry s'éloignèrent.

[1] la Roche Jumelle, *Twin Rock*.
[2] à portée de ma voix, *within call*.
[3] cri de ralliement, *rallying call*.

[7]

La Roche Jumelle était formée de deux grandes pierres plates [1] appuyées l'une sur l'autre et hautes de six ou sept mètres.

— Nous allons monter chacun d'un côté, dit Thierry avec un sourire moqueur, [2] et je serai en haut avant toi, gros patapouf.

— Thierry, dit Edmond, si tu continues, je vais me fâcher, [3] je te battrai et tu pleureras. Il vaut mieux t'en aller tout de suite.

Ils passèrent chacun d'un côté de la roche et commencèrent à grimper. [4] C'était difficile. Il fallait trouver dans le rocher des trous pour y placer les pieds et des prises [5] pour y accrocher les mains. On ne pouvait monter que lentement. Edmond était environ à trois mètres de hauteur [6] quand il entendit:

— Hou! hou! HOU! hou!

C'était la voix de leur père. Celle de Thierry répondit. Par la direction du son, Edmond comprit que Thierry était déjà plus haut que lui. Il se mit à grimper très vite et il allait arriver au sommet quand, à nouveau, [7] il entendit un « Hou! hou! HOU! hou! », mais cette fois presque étouffé, qui semblait venir de l'intérieur des pierres. De sa main droite il pouvait, à ce moment, atteindre le bord supérieur du rocher. Il se hissa. [8] Sa tête se trouva au-dessus de l'étroite ouverture qui était entre les deux rochers jumeaux. Il entendit une troisième fois le cri et, très bas au-dessous de [9] lui, comme au fond d'une étroite cheminée formée par les deux pierres, il aperçut son frère.

— Thierry, cria-t-il, qu'est-ce que tu fais là? Tu es tombé?

---

[1] *flat.* [2] *mocking, scornful.* [3] *become angry.* [4] *to climb.* [5] (generally pl.) *hold, grip.* [6] **à trois mètres de hauteur,** *three meters up.* [7] **à nouveau,** *again.* [8] *pulled himself up.* [9] **au-dessous de,** *below.*

—Non, dit Thierry, qui était orgueilleux,[1] je suis descendu. Viens voir, Edmond, c'est très beau.

—Mais comme tu es loin! Qu'est-ce que tu vois?

—Une grande caverne . . . toute éclairée par des globes électriques . . . comme les gares.   5

—Il y a des trains?

Edmond n'aimait rien au monde mieux que les trains.

—Non, mais c'est très intéressant. Descends!

—Comment peut-on descendre?

—En te laissant glisser dans la cheminée. Ici la terre est 10 couverte de mousse, tu ne te feras pas mal.[2]

Edmond ne trouvait pas cela raisonnable, mais il ne voulait pas avoir l'air peureux.[3] Il enjamba [4] la pierre, s'accrocha par les mains, ferma les yeux et lâcha tout. Il glissa avec une rapidité incroyable [5] entre les deux pierres, 15 eut peur un instant, puis sentit un choc assez élastique et se trouva assis sur la mousse à côté de son frère.

—Regarde, dit celui-ci.

Le spectacle était vraiment surprenant.[6] Devant eux s'ouvrait une grotte immense. Des globes lumineux ac- 20 crochés à sa voûte [7] répandaient une lumière bleutée.[8] Le sol était couvert de dalles de faïence [9] qui dans une moitié étaient rouges et blanches, et dans l'autre bleues et rouges. Au fond s'ouvrait un grand tunnel en pente douce d'où sortait un bruit de machine.[10]   25

—Oh! cria Edmond. Mais il y a donc des habitants sous la terre!

—Sûrement, et sais-tu ce qu'il y a dans le tunnel? dit Thierry. Moi j'ai été voir.

—Et qu'est-ce que tu as trouvé? dit Edmond.   30

---

[1] *proud.* [2] **tu ne te feras pas mal,** *you won't get hurt.* [3] *timid, easily frightened.* [4] *straddled.* [5] *unbelievable.* [6] *surprising.* [7] *vault.* [8] *bluish.* [9] **dalles de faïence,** *faïence tiles.* [10] *machinery.*

— Il y a un escalier qui marche, dit Thierry, comme dans le Métro.[1]

Cette fois, Edmond ne put plus résister; il courut vers le tunnel. En effet, un escalier mobile [2] dont on n'apercevait pas la fin, descendait vers le centre de la terre. A gauche, un autre escalier montait, mais on ne voyait arriver personne.

— Nous allons descendre, dit Thierry.

— Il faudrait prévenir papa, dit Edmond.

— Mais non, nous reviendrons tout de suite.

Thierry avait toujours si envie des choses, qu'il ne pensait jamais aux conséquences. A ce moment, ils entendirent très loin: « Hou! hou! HOU! hou! » Ils répondirent de toutes leurs forces: « Hou! hou! HOU! hou! » et mirent le pied sur la première marche de l'escalier.

[1] *Paris subway.*   [2] **escalier mobile,** *escalator.*

CHAPITRE DEUXIÈME

Les Deux Bateaux[1]

Jamais Edmond et Thierry n'auraient cru qu'un escalier pût être aussi long. Pendant plus d'une heure, ils descendirent dans une demi-obscurité que rompait, de temps à autre,[2] une lampe électrique rouge et verte.

— C'est comme les signaux du Métro, dit Edmond. Mais comme nous sommes loin ! 5

— Tu as peur, patapouf ? dit Thierry.

Edmond se tut et l'on n'entendit plus que le bruit de l'escalier: « Poum ... poum ... cra ... cra ...[3] poum ... poum ... » dans le grand silence. 10

Enfin ils aperçurent, très bas, au-dessous d'eux, une arche de lumière comme l'on en voit à la fin des tunnels. Cette arche grandit. La lumière du dehors éclaira les murs du tunnel, les lampes pâlirent et, cinq minutes plus

---

[1] *ships, steamers.*   [2] **de temps à autre,** *from time to time.*   [3] **Poum ... poum ... cra ... cra,** words imitating the noise of the escalator.

tard, l'escalier déposa Edmond et Thierry dans une vaste salle. Au pied de l'escalier se tenaient deux soldats en armes. Ils étaient comiques parce que l'un des deux était petit et très gros, l'autre grand et très mince. Le maigre
5 cria:

— Deux Surfaciens! [1] . . . Deux!

Le gros reprit:

— Un Pata. Un Fili. Deux!

Derrière lui, un maigre employé fit deux traits sur un
10 carton [2] vert. Un gros homme, vêtu [3] comme les porteurs des gares, s'approcha d'Edmond:

— Pas de bagages? dit-il d'un air étonné.

— Non, dit Edmond, nous rentrons tout de suite à la maison. Le gros homme s'éloigna.

15 Cependant des voyageurs très nombreux traversaient la salle et, comme ils se dirigeaient tous du même côté, Edmond et Thierry les suivirent. Au mur, des écriteaux [4] énormes indiquaient:

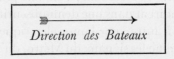

Direction des Bateaux

Le courant de la foule emporta les deux frères. Ils tra-
20 versèrent une porte. A ce moment un air frais et vif frappa leurs visages. Ils étaient en plein air [5] et au bord de la mer. Seulement, bien qu'il fît très clair, on voyait tout de suite que la lumière n'était pas celle du soleil. En regardant mieux, Edmond et Thierry découvrirent que d'immenses
25 ballons lumineux flottaient dans le ciel et éclairaient tout le paysage. Ces ballons étaient remplis d'un gaz bleu très

---

[1] (neolog.) *inhabitants of the earth's surface.* [2] *cardboard.* [3] *dressed.*
[4] *signs.* [5] **en plein air,** *in the open air.*

brillant qui rappelait celui que l'on voit parfois dans des tubes devant certains magasins.[1] Cette lumière était agréable et douce. Une petite ville faite de villas et d'hôtels se dressait sur les falaises.[2] Devant les deux garçons étaient un port, un phare,[3] une jetée.[4] Des passerelles [5] de métal 5 brillant reliaient [6] au quai deux paquebots.[7] Sur un écriteau accroché à l'une des passerelles on lisait:

Ligne de Pataport

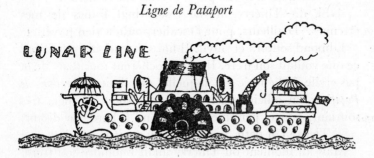

Ce paquebot-là était un gros bateau à roues,[8] large et arrondi [9]; l'autre au contraire était un vaisseau d'acier [10] très mince, sur la passerelle duquel les deux frères lurent: 10

Ligne de Filiport

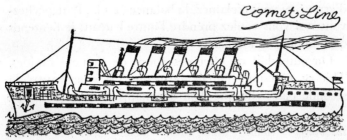

---

[1] *stores.* The reference is to neon lights. [2] *cliffs.* [3] *lighthouse.*
[4] *pier.* [5] *gangplanks.* [6] *connected.* [7] *ocean liners.* [8] **à roues,** *with* *wheels.* [9] *rounded.* [10] **vaisseau d'acier,** *steel ship.*

[13]

— Si nous faisions une promenade en mer? [1] dit Thierry.

— Et papa? dit Edmond.

— Nous ne resterons pas longtemps, dit Thierry; cette mer est toute petite.

5 En effet, c'était plutôt un détroit [2] qu'une mer et, à la lumière des ballons, on apercevait très nettement, au delà des flots,[3] une autre rive [4] qui portait de hautes maisons.

— Mais nous n'avons pas d'argent, dit Edmond.

— Si, dit Thierry, il me reste vingt francs de mes 10 étrennes.[5] D'ailleurs, pour l'escalier, on n'a rien payé.

Edmond soupira et suivit. Il finissait toujours par faire [6] ce que voulait son frère. Ils s'approchèrent tous deux de la passerelle à l'entrée de laquelle on lisait: *Direction de Pataport;* un officier du bateau, gros homme rouge, très 15 souriant, poussa gentiment [7] Edmond à bord, en disant:

— Tiens! Un petit Surfacien. Il y avait longtemps . . . !

Mais au moment où Thierry allait rejoindre son frère:

— Ah! non! dit le gros lieutenant.[8] Pour vous, c'est l'autre bateau.

20 — Mais *nous, on* est ensemble, dit Thierry.

— En Surface, peut-être, dit le lieutenant, mais ici? Impossible. Celui-là est Patapouf et vous êtes Filifer. Pas d'erreur. Si vous réclamez, la balance [9] est là. Et dépêchez-vous [10] si vous voulez prendre l'autre bateau; je l'entends 25 qui annonce son départ.

On entendait en effet des coups de sirène [11] rapides. Thierry n'hésitait jamais beaucoup. Il courut vers la seconde passerelle que déjà des mains soulevaient et, en

---

[1] **Si nous faisions une promenade en mer?** *Supposing we take a sea voyage?* [2] *strait.* [3] *waves, water.* [4] *shore.* [5] *New Year's gift(s).* Gifts are given at New Year's rather than at Christmas in France. [6] **finissait ... par faire,** *ended up by doing.* [7] *in a kindly way, graciously.* [8] *harbormaster* (term used in speaking of small ports). [9] *scales.* [10] *hurry!* [11] **coups de sirène,** *blasts of the siren.*

deux sauts,[1] il fut à bord. Déjà les machines [2] tournaient, les hélices [3] agitaient l'eau, les matelots [4] faisaient sortir les canots de sauvetage.[5] A travers tout ce bruit, Thierry entendit:

—Hou! hou! HOU! hou! 5

Il courut vers l'arrière du navire [6] et aperçut, sur l'autre bateau, qui s'éloignait de toute la force de ses grandes roues dans une direction opposée, Edmond qui, debout sur un banc, les larmes aux yeux, agitait un mouchoir. Thierry chercha dans sa poche, mais ne trouva qu'un 10 cornet de réglisses [7] tout froissé [8] qu'il avait acheté, la veille, au concierge [9] du lycée. Alors il agita les réglisses. Autour de lui, des passagers le regardaient avec surprise, mais cela lui était égal.[10] Il était vraiment malheureux d'être séparé de son frère. Qu'allait-il faire seul au milieu 15 d'inconnus?

[1] *leaps.*   [2] *engines.*   [3] *propellers.*   [4] *sailors.*   [5] **canots de sauvetage,** *lifeboats.*   [6] **l'arrière du navire,** *the stern of the ship.* [7] **cornet de réglisses,** *cornucopia (cone) of licorice.* Small bags in France are usually of this shape.   [8] *crumpled.*   [9] *doorkeeper.* Use the French word in translating.   [10] **cela lui était égal,** *that didn't matter to him.*

CHAPITRE TROISIÈME

Ligne de Filiport

Q UAND Edmond ne fut plus qu'un point à peine [1]
visible, Thierry soupira [2] légèrement et regarda
autour de lui. Il avait déjà souvent fait des traversées [3]: il avait été de Calais à Douvres, de
5 Dieppe à Newhaven, du Havre à Southampton,[4] et même
de Marseille à Alger,[5] mais jamais il n'avait vu un bateau
qui ressemblât à celui-là. Tous les autres vaisseaux qu'il
avait connus se balançaient à la fois [6] d'arrière en avant [7]
(et son papa lui avait dit que ce mouvement s'appelait le
10 tangage [8]) et de droite à gauche (et son papa lui avait

---

[1] à peine, *scarcely.* [2] *sighed.* [3] *crossings.* [4] **Calais . . . Southampton.** Three crossings of the English Channel. **Douvres,** *Dover.*
[5] **de Marseille à Alger.** Crossing from France to Algiers in Algeria,
North Africa. Note that **Marseille** is spelled without the final s in
French. [6] **à la fois,** *at the same time, both.* [7] **d'arrière en avant,**
back and forth. [8] *pitching.*

dit que ce mouvement s'appelait le roulis [1]). A lui, Thierry, c'était le roulis qui avait donné le mal de mer.[2] Or le bateau sur lequel il était maintenant n'avait pas de roulis: long et mince, il n'avait que tangage. Thierry se sentait tout à fait à son aise et il avait grand faim. 5

Une agitation extraordinaire régnait sur le pont.[3] Tout le monde marchait, courait, donnait des ordres; des marchands innombrables circulaient, portant des petits étalages [4] remplis de journaux, de livres, de loupes,[5] de montres,[6] d'instruments de mesure. Thierry espérait que 10 l'un de ces marchands vendrait aussi du chocolat ou des bananes comme le concierge du lycée. Mais aucun d'eux ne portait rien que l'on pût manger.

A travers les vitres du salon on apercevait des hommes qui faisaient de la gymnastique. Les uns soulevaient des 15 poids; d'autres se lançaient un ballon; d'autres encore, montés sur des appareils mécaniques, s'agitaient comme s'ils avaient ramé.[7] Tout ce spectacle faisait penser aux vitrines des magasins,[8] au moment de Noël, quand elles sont pleines de personnages animés [9] qui ne s'arrêtent 20 jamais.

Mais bientôt Thierry fut frappé par un fait plus étonnant [10] encore. Bien qu'il y eût sur ce bateau un très grand nombre de passagers, il n'y en avait pas un seul qui fût gros ou de taille moyenne. Tous, hommes, femmes et 25 enfants étaient maigres, prodigieusement maigres. On devinait leurs os [11] à travers leurs joues, leurs mains

---

[1] *rolling.*   [2] **mal de mer,** *seasickness.*   [3] *deck.*   [4] *display cases.*
[5] *magnifying glasses.*   [6] *watches.*   [7] **avaient ramé,** *had been rowing.*
[8] **vitrines des magasins,** *shopwindows.*   [9] **personnages animés,**
animated figures. For a month at Christmas time, some of the big
Paris stores, notably the Louvre, display elaborate scenes made of
such figures.   [10] *astonishing.*   [11] **On devinait leurs os,** *One could almost
see (guess) their bones.*

Filifers faisant de la gymnastique

étaient décharnées,[1] leurs vêtements semblaient flotter sur
eux. Et pourtant ces gens n'avaient pas l'air malade.[2] Au
contraire, ils semblaient bien portants [3] et même actifs et
vigoureux, mais c'était évidemment une race d'hommes
5 particulière et d'une incroyable maigreur.[4]

— Où suis-je? se demandait Thierry. Il y a des Anglais
qui sont très maigres, mais il y a aussi des Anglais gros.
D'ailleurs, ce ne sont pas des Anglais; on n'arrive pas en
Angleterre par un escalier. Ce ne sont pas des Américains;

---

[1] *fleshless.*   [2] **n'avaient pas l'air malade,** *didn't look ill.*   [3] **bien
portants,** *in good health.*   [4] *slenderness.*

je n'ai pas traversé l'Atlantique. Ce ne sont pas des Allemands; les Allemands sont plutôt forts . . .

Tout en se posant ces questions [1] avec anxiété, il se promenait sur le pont à grands pas et, comme il passait à côté d'une cabine sur la porte de laquelle on lisait: *Salle de* 5 *travail,* il aperçut au mur un cadre [2] qui contenait une carte et s'approcha. Il fut bien surpris, car cette carte ne ressemblait à aucune de celles qu'il avait vues et ne contenait aucun nom connu de lui.

Thierry resta longtemps debout devant cette carte. Il 10 avait été troisième sur trente-sept [3] en composition de géographie,[4] mais il ne pouvait se souvenir de ces pays. Comme il réfléchissait, un vieux monsieur à cheveux

---

[1] **se posant ces questions,** *asking himself these questions.*   [2] *frame.*
[3] **sur trente-sept,** *in a class of 37.*   [4] **composition de géographie,**
monthly geography test.

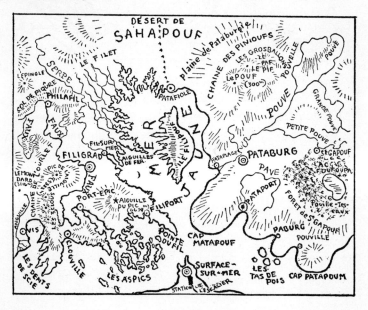

blancs, très maigre, s'arrêta à côté de lui et le regarda
sévèrement.

— Ah! ah! dit-il. Petit Surfacien?

— Moi? dit Thierry.

5 — Oui, vous. De quel pays êtes-vous?

— *Nous*, dit Thierry, *on* est Français.

— C'est ce que je disais, dit le vieux monsieur. Surfacien. Ici, nous ne comprenons pas ces pays où vous
réunissez gens gras ¹ et gens maigres. Sous terre, les races
10 sont bien séparées. Il y a les Patapoufs et il y a les Filifers.²

— Et les Patapoufs sont tous gras, et les Filifers sont tous
maigres? demanda Thierry.

— Enfant intelligent, dit
le vieux monsieur, d'un air
15 moqueur. A compris tout
seul. Dix sur dix.³

Il était ironique et désagréable. Mais Thierry avait
besoin d'apprendre où il
20 était et continua la conversation. Il sut ⁴ alors que le
vieux monsieur s'appelait
M. Dulcifer et qu'il était

*Premier contact de Thierry
avec un Filifer . . ,*

¹ *fat.* ² See end vocabulary
for connotation of the names
Patapoufs and **Filifers,** and for
all other proper names found
throughout the text which have
been coined by the author. ³ **Dix
sur dix,** *Grade of ten on a basis
of ten,* i.e., 100%. The French
usually, however, use 20 as a
basis for grading. ⁴ Note that
savoir may mean *to learn* in past
tenses.

professeur d'histoire à l'Académie Nationale des Filifers. D'ailleurs, il eût été facile de deviner qu'il était professeur, car, à chaque instant, il posait une question.

— Capitale des Filifers? dit-il brusquement à Thierry.

— Moi? dit Thierry. 5

— Naturellement vous; vous êtes tout seul.

— *Nous*, dit Thierry, *on* a appris l'Italie, capitale Rome; la Pologne,[1] capitale Varsovie [2]; la Hongrie,[3] capitale Budapest; mais on ne m'a pas appris les Filifers.

— Zéro, dit M. Dulcifer. Répétez après moi: la capitale 10 des Filifers est Filigrad.

Thierry répéta.

— Capitale des Patapoufs? dit brusquement M. Dulcifer. 15

— Je ne sais pas, dit Thierry. Peut-être Patagrad?

— Cinq, dit M. Dulcifer. Répétez: la capitale des 20 Patapoufs est Pataburg.

— Comme c'est facile à retenir! dit Thierry. Je voudrais bien que la capitale de l'Esthonie s'appelle 25 Esthograd et la capitale de l'Albanie Albapouf.[4]

[1] *Poland.* [2] *Warsaw.* [3] *Hungary.* [4] Since the capital of Estonia is Revel or Reval, also called Tallinn, and the capital of Albania is Tirana or Tiranë, it is small wonder that Thierry would like a simplification of the matter.

... *qui ne lui produit pas une impression très favorable*

[21]

— Taisez-vous, dit M. Dulcifer. Et, amenant Thierry devant la carte, il continua:

— L'escalier par lequel vous êtes arrivé et qui réunit les deux Pays du Centre à la Surface porte le nom d'Es- calier de Surface. Son entrée sur la Terre est dissimulée entre deux rochers d'une forêt que les Surfaciens appellent Forêt de Fontainebleau.

— Je sais ça, dit Thierry, en se frottant [1] le dos.

— Le port qui dessert [2] les escaliers est Surface-sur-Mer. Il est très important, parce qu'il est tête de ligne [3] à la fois de la ligne patapouvienne [4] de Pataport . . .

— Et de la ligne filiférienne de Filiport, dit Thierry.

— Dix, dit M. Dulcifer. Maintenant, regardez la carte.

[1] *rubbing.*   [2] *connects with.*
[3] *terminal.*   [4] Note the adjectives which the author has made from **Patapouf** and **Filifer**. Other forms found elsewhere are **patapouf** and **filifer**.

Vous voyez que le Royaume ¹ des Patapoufs est séparé de
la République des Filifers, d'abord par une frontière terrestre,² qui suit le désert de Sahapouf, puis par un golfe
que nous appelons la Mer Jaune à cause des roches d'or
qui en forment le fond et lui donnent une couleur parti- 5
culière. La Mer Jaune est presque fermée au sud ³ par
deux caps: le Cap Matapouf et le Pointe du Fil.

—Je vois, dit Thierry, et au centre du golfe se trouve
l'Ile de Filipouf.

—Exactement, dit M. Dulcifer, et je voudrais la voir 10
au fond des mers, car cette île est la cause de tous nos
malheurs . . .

Mais avant de continuer le récit des leçons de M. Dulcifer, il faut dire ce qu'était devenu Edmond.

¹ *Kingdom.*   ² **frontière terrestre,** *land frontier.*   ³ *south.*

CHAPITRE QUATRIÈME

Ligne de Pataport

*Edmond Double fait concurrence au poulet dans les préoccupations
du baron de Vorapouf*

QUAND Edmond s'était vu seul sur un bateau inconnu, quand il avait pensé à son pauvre papa qui, là-haut, dans la forêt, devait chercher ses enfants avec tant d'inquiétude, quand il avait

5 vu son frère disparaître à l'horizon, il avait eu envie de pleurer. Ah! qu'il aurait voulu être chez lui, dans sa maison tranquille jouant avec son train! Mais on lui répétait tous les jours qu'un garçon de dix ans ne devait plus être si sensible.[1] Il fit un effort courageux et essaya

10 de comprendre avec calme ce qui se passait.

D'abord il avait craint le mal de mer. Mais quand il avait été en Angleterre, c'était toujours le tangage qui l'avait rendu malade, et ce gros bateau-ci n'avait que du roulis. Aussi se sentait-il très bien portant et avait-il grand faim.

[1] *sensitive.*

Le pont était couvert de fauteuils où dormaient des hommes et des femmes. Certains de ces fauteuils étaient en cuir,[1] d'autres en toile, quelques-uns étaient des fauteuils à bascule [2] que le léger mouvement des vagues [3] balançait. Les marins [4] n'avaient pas de fauteuils, mais ils se promenaient avec lenteur,[5] les mains dans les poches, en mangeant, l'un du pain et du chocolat, un autre un morceau de saucisson,[6] un troisième une aile de poulet.[7] Sur la passerelle [8] on apercevait le capitaine. Il était assis dans un fauteuil. A côté de lui était une table couverte de gâteaux [9] et de sirops.[10]

Tous, capitaine, marins, passagers, avaient l'air heureux et bon, mais ce qui semblait extraordinaire, c'était que tous étaient gros. Edmond connaissait bien, parmi les amis de ses parents, quelques gros messieurs et quelques grosses dames, mais jamais il n'avait vu une réunion d'êtres humains ayant tous de gros ventres,[11] des joues énormes et roses,[12] des mains grasses et cet air satisfait. Comme il restait debout, une vieille dame, qui avait au moins quatre mentons,[13] lui fit signe de s'approcher.

— Vous êtes un petit Surfacien? lui dit-elle.

— Non, dit Edmond, *nous, on* est Français.

— C'est cela, dit la grosse dame, vous êtes Surfacien. Mais vous êtes aussi un vrai Patapouf et de la meilleure espèce.

— Je ne suis pas du tout un Patapouf, dit Edmond furieux. Mon papa . . .

Le bruit de sa voix avait réveillé quelques dormeurs.[14] Un vieux monsieur à barbe blanche, dont le ventre avait

---

[1] *leather.* [2] **fauteuils à bascule,** *rocking chairs.* [3] *waves.* [4] *sailors.* [5] **avec lenteur,** *slowly.* [6] *sausage.* [7] *chicken.* [8] *(captain's) bridge.* We have seen that **passerelle** also means *gangplank.* [9] *cakes.* [10] *drinks, soft drinks.* [11] *stomachs.* [12] *pink.* [13] *chins.* [14] *sleepers.*

[25]

deux mètres de tour ¹ et qui sommeillait ² au centre du pont, dans un fauteuil rouge brodé ³ d'or, se souleva et regarda autour de lui:

— Qu'est-ce que c'est? demanda-t-il.

5 — Monsieur le chancelier, dit la grosse dame avec respect, c'est ce petit Surfacien qui est tout surpris parce que je lui apprends qu'il est un vrai Patapouf.

— Mon ami, dit le vieux monsieur avec bienveillance,⁴ vous devriez être très fier d'être un Patapouf, en un temps 10 où vos frères Patapoufs viennent de se couvrir ⁵ de gloire.

— Qui sont mes frères Patapoufs? dit Edmond d'un ton encore assez fâché.⁶

— Chut! ⁷ chut! lui dit la vieille dame. Sachez que vous parlez en ce moment à Monsieur le chancelier de 15 Vorapouf. Il faut l'appeler Monseigneur.⁸

Le vieux monsieur sourit avec bonté.

— Apportez-moi la carte, dit-il.

Aussitôt deux maîtres-d'hôtel ⁹ s'avancèrent et lui présentèrent une longue liste de mets ¹⁰ et de vins.

20 — Non, non, dit le chancelier, je veux dire la carte géographique.

Quand on l'eut apportée, il fit voir à Edmond une carte toute semblable à celle que nous connaissons déjà, sauf en un point: l'île qui était au centre du golfe et qui, dans 25 l'autre bateau, s'appelait Ile de Filipouf, avait reçu, dans celui-ci, le nom d'Ile de Patafer.

Quand Edmond eut compris la forme de ce nouveau pays, M. de Vorapouf lui dit avec douceur:

— Maintenant, mon ami, je suis fatigué et dois achever

---

¹ **avait deux mètres de tour,** *had a girth of two meters.* ² *was dozing.* ³ *embroidered.* ⁴ *kindness.* ⁵ **viennent de se couvrir,** *have just covered themselves.* ⁶ *angry.* ⁷ *Hush!* (onomatopœia). ⁸ *Your Highness, My Lord.* ⁹ *head waiters.* ¹⁰ *dishes (of food).*

ma sieste horaire,[1] mais restez près de moi. Je vais vous faire donner un fauteuil à bascule, quelques biscuits [2] et un livre d'histoire dans lequel vous apprendrez tout ce que vous avez besoin de savoir avant de débarquer.[3]

Il murmura quelques mots à un jeune secrétaire qui 5 apporta à Edmond un livre que celui-ci regarda avec un peu d'inquiétude. En voici la couverture:

LAPOUF & RAMPATA
———
HISTOIRE
DES PATAPOUFS
Conforme au programme
pour la classe
de 7ᵉ

Majoration
temporaire
100%   PATABURG
1930

Comme Edmond contemplait ce titre avec méfiance,[4] un gros marin s'approcha, déposa près 10 de lui une petite table sur laquelle était une tasse de cacao fumant [5] et de grands biscuits

[1] sieste horaire, *hourly siesta.*
[2] *crackers, cookies.* [3] avant de débarquer, *before disembarking.* [4] *distrust.* [5] tasse de cacao fumant, *cup of steaming cocoa.*

Edmond augure le plus grand bien de ses relations
avec les Patapoufs

d'avoine,[1] puis déplia [2] un fauteuil. Edmond trouva ce repas si tentant [3] qu'il s'assit dans le fauteuil, but une gorgée [4] de cacao, commença un biscuit et ouvrit le livre. Vraiment les Patapoufs savaient vivre.

5 La première page du livre disait:

HISTOIRE DES PATAPOUFS
Chapitre Premier

LES POUFS.
INVASION DES PATAS.
10 OBÉSAPOUF Ier
1023–1047.

1. — Au commencement, notre pays s'appelait la Pouvie et ses habitants s'appelaient les Poufs. Les Poufs étaient des hommes aussi remarquables par leur force que par leur douceur. Bien qu'ils fussent divisés en de nombreuses tribus,[5] ils ne se battaient [6] jamais entre eux, ni avec leurs voisins. Les 15 Poufs n'avaient pas de roi; chaque tribu nommait un chef, qui était en même temps le prêtre.

2. — C'est vers l'an 800 qu'apparurent, au Nord, dans le Désert de 20 Sahapouf, les premiers cavaliers Patas. Les Patas étaient aussi violents que les Poufs étaient d'humeur facile. 25 Bien que moins nombreux ils attaquèrent les Poufs, s'emparèrent de [7]

[1] **biscuits d'avoine,** *oatmeal cookies.* [2] *opened out.* [3] *tempting.* [4] *swallow, mouthful.* [5] *tribes.* [6] *fought.* [7] **s'emparèrent de,** *took possession of.*

Le Grand-Patati, ayant battu l'armée d'un chef des Poufs au nord de la Pouvie, reçoit la visite de celui-ci au camp des Patas (an 850 environ)

tout le pays au nord de la Pouvie et y fondèrent la ville de Pataburg qui fut d'abord leur forteresse.

3. — Grâce à la douceur de leurs mœurs, les Poufs supportèrent facilement la domination de leurs nouveaux maîtres. Du mélange [1] des deux races se formèrent les Patapoufs qui avaient à la fois la bonté des Poufs et le courage des Patas.

4. — En l'an 1023, une assemblée de chefs patas et poufs décida de reconnaître pour roi Obésapouf Ier, qui était le fils d'un chef pata et d'une jeune princesse pouf. En même temps, les deux nations unies prirent le nom de Patapouvie et adoptèrent pour capitale Pataburg.

*
* *

Edmond en était là,[2] lorsque le gros marin revint, lui sourit, enleva la tasse de cacao qu'il venait de terminer et la remplaça par un grand bol de bouillon qu'accompagnaient des gâteaux au fromage.[3]

— Encore des choses à manger? dit Edmond timidement.

— Le déjeuner n'est que dans une heure, dit le marin. Il faut pouvoir attendre.

Edmond, qui aimait beaucoup le bouillon, ne protesta plus, retomba dans son fauteuil et, cette fois, regarda la fin du livre. « Puisque je vais arriver dans leur pays, pensa-t-il, il vaut mieux savoir ce qui vient de leur arriver. »

Voici quel était le début du dernier chapitre:

[1] *mingling.*   [2] **en était là,** *had got that far.*   [3] **gâteaux au fromage,** *cheese cakes.*

[29]

Chapitre LIV

OBÉSAPOUF XXXII
(1923–19...).
NOUVELLES PRÉTEN-
TIONS DES FILIFERS.
GUERRE
DES ENFERMÉS [1]
(1928).
TRAITÉ DE PATAFIOLE
(1929).

1. — Le roi Obésapouf XXXII qui succéda à son père en 1923, après la mort glorieuse de celui-ci au cours d'un grand repas, est un des monarques les plus remarquables de son illustre famille. Jamais les Patapoufs n'avaient eu un roi plus gros, ni plus bienveillant.[2] Les portes du palais et les garde-manger [3] de la cuisine royale furent ouverts au peuple. L'impôt [4] sur les marrons glacés [5] fut aboli [6] comme don de joyeux avènement.[7] Sous ce roi, les Patapoufs auraient connu le parfait bonheur sans le voisinage des Filifers.

Obésapouf XXXI
(1858–1923)

*

* *

— Les Filifers? pensa Edmond. Cela ressemble au mot qui était écrit sur le bateau de Thierry. Qui sont les Filifers? demanda-t-il au gros marin qui était resté près de lui.

— Ah! dit le marin, en levant avec une grande lenteur les bras au ciel. Les Filifers?... Les Filifers... Je vais

---

[1] **Guerre des Enfermés,** *War of the Interned* (**enfermer,** *to hem in, enclose*). [2] *benevolent, friendly.* [3] *pantries.* [4] *tax.* [5] **marrons glacés,** *sugar-coated chestnuts.* [6] *abolished.* [7] *accession to the throne, coronation.*

vous le dire, mais d'abord, si vous me le permettez, je vais me chercher un fauteuil.

Il revint un instant plus tard portant un énorme sandwich qui paraissait rempli de homard,[1] de salade [2] et d'œufs durs,[3] un verre de bière et traînant un grand fauteuil dans lequel il s'assit près d'Edmond.

— Les Filifers, dit-il, s'arrêtant après chaque phrase pour manger et boire, sont un peuple extraordinaire qui habite la rive du golfe opposée à la nôtre. Ils sont affreux à voir, maigres comme des malades, osseux [4] comme des montagnes, jaunes comme des citrons,[5] et ils vivent comme des fous, mangeant à peine, buvant de l'eau et travaillant sans y être forcé. Tout cela d'ailleurs ne serait rien s'ils n'étaient pas méchants; nous autres Patapoufs,[6] nous avons si bon caractère [7] que nous supportons tout et même qu'on ne nous ressemble pas.[8] Mais les Filifers sont méchants et ils voudraient forcer les autres à vivre comme eux. Par exemple il y a au milieu du golfe une jolie petite île qui s'appelle Patafer. Croiriez-vous qu'il y a deux ans les Filifers ont prétendu contraindre [9] les habitants de cette île (qui sont presque de vrais Patapoufs) à observer leurs lois idiotes, à supprimer le repas de midi, à travailler six jours par semaine. Si bien que [10] les pauvres habitants se sont adressés à nous et que nous avons dû les défendre.

— Et il y a eu une guerre? dit Edmond.

— Comment? dit le gros marin stupéfait. Vous ne saviez pas cela? Mais c'est la guerre la plus terrible qu'on ait jamais connue dans les pays du Sous-Sol, celle que l'on a appelée la Guerre des Enfermés.

[1] *lobster.* [2] *salad.* [3] œufs durs, *hard-boiled eggs.* [4] *bony, scrawny.*
[5] *lemons.* [6] nous autres Patapoufs, *we Patapoufs.* [7] avons si bon
caractère, *are so good-natured.* [8] et même qu'on ne nous ressemble
pas, *even that people do not resemble us.* [9] *compel.* [10] Si bien que,
So that, And so.

La traversée du Sahapouf par l'armée des Filifers

— Pourquoi Guerre des Enfermés?

— Parce que les deux armées, comme vous le verrez si vous lisez l'histoire qui est sur vos genoux, ont fini par se trouver prisonnières.

5 — Comment cela? [1] dit Edmond.

— Lisez, dit le marin.

Et Edmond lut à haute voix [2]:

3. — Comme les guerres précédentes avaient montré qu'il était impossible pour une armée de traverser le
10 Désert de Sahapouf, l'état-major [3] patapouvien avait dé-

---

[1] **Comment cela?** *How is that? How did that happen?*   [2] **à haute voix,** *aloud.*   [3] *General Staff, High Command.*

Traversée de la Mer Jaune par les Patapoufs

ON REMARQUERA LA DISPARATE DE LEUR FLOTTE COMPARÉE À
LA « STANDARDISATION » DU MATÉRIEL DE GUERRE FILIFER

cidé d'attaquer les côtes des Filifers. L'armée, sous les
ordres du vaillant maréchal Pouf, s'embarqua le 15 mai.
Le débarquement [1] réussit à merveille. [2] Le pays des
Filifers fut conquis sans aucune difficulté et, le 3 juin, le
maréchal Pouf faisait son entrée à Filigrad.   5

4. — Malheureusement, le même jour, le général Tactifer faisait son entrée à Pataburg. Depuis plusieurs mois,
l'état-major des Filifers avait accumulé secrètement des
provisions et des moyens de transport, en vue de la tra-

[1] *disembarkation.*   [2] **à merveille,** *marvelously.*

[33]

versée du Désert de Sahapouf et, comme celui-ci n'était pas défendu, cette opération avait malheureusement réussi.

5. — Mais quand les Filifers, maîtres de Pataburg, étudièrent les moyens de rentrer chez eux, ils reconnurent qu'ils avaient perdu en route la plus grande partie de leurs camions,[1] qu'ils n'avaient pas de flotte [2] et que, tout en étant vainqueurs,[3] ils se trouvaient prisonniers.

6. — Cependant la flotte patapouvienne, traîtreusement [4] attirée au large du Cap [5] Matapouf, était détruite par la tempête sur les Aiguilles [6] de Fer. L'armée patapouvienne était, elle aussi, prisonnière à Filigrad. De là le nom de Guerre des Enfermés qui a été donné à cette campagne.[7]

7. — Dans ces conditions, il ne restait plus, pour les deux pays, qu'à signer un armistice. Le roi Obésapouf et le président Brutifer se rencontrèrent en mer, au large de Patafiole, et, par l'armistice de Patafiole (12 juillet 1928), il fut décidé:

a) Que l'Ile de Patafer resterait neutre.[8]

b) Que les transports par mer pour le rapatriement [9] des deux armées seraient autorisés.

c) Qu'une conférence se réunirait [10] à Patafiole au printemps suivant, pour régler les questions de détail.

8. — L'armée, sous le commandement du maréchal Pouf, revint au début d'octobre et fut reçue en triomphe. Le sénat de Pataburg supplia le roi Obésapouf XXXII de daigner s'appeler désormais Obésapouf le Victorieux et le maréchal Pouf fut nommé duc de Filigrad.

Comme le livre était fini, Edmond le ferma et but son bouillon, qui était excellent.

---

[1] *trucks.*   [2] *fleet, navy.*   [3] **tout en étant vainqueurs,** *although they were victorious* (lit. "all while being victors").   [4] *treacherously.*   [5] **au large du Cap,** *off the cape.*   [6] lit. "Needles," i.e., sharp-pointed promontories. See map, p. 19.   [7] *(military) campaign.*   [8] *neutral.*   [9] *repatriation.*   [10] *would be called.*

CHAPITRE CINQUIÈME

Chez les Filifers

CETTE île, dit M. Dulcifer, est la cause de tous nos malheurs.

— Comment cela? dit Thierry.

M. Dulcifer tira un petit livre de sa poche et le tendit à Thierry.   5

— Connaissez-vous ceci? dit-il.

— *Histoire des Fi-li-fers,* lut Thierry. Non, dit-il, j'ai lu seulement *les Malheurs de Sophie, les Vacances,*[1] et *Vingt mille lieues sous les mers.*[2]

M. Dulcifer ouvrit le livre à l'une des dernières pages   10 et dit d'un air irrité [3]:

[1] *les Malheurs de Sophie* and *les Vacances,* by the Countess of Ségur, nineteenth-century author of stories for children and young people.   [2] *Vingt mille lieues sous les mers,* exciting adventure story by Jules Verne, popular nineteenth-century French writer. [3] *irritated.*

Filigrad fait prisonnières les troupes du maréchal Pouf

(LES BARREAUX DE CETTE PHOTOGRAPHIE PROUVENT DÉFINI-
TIVEMENT L'IMPOSTURE DES PATAPOUFS QUI PRÉTENDENT Y ÊTRE
ENTRÉS TRIOMPHALEMENT)

— Lisez !

Thierry obéit et lut le titre suivant:

Chapitre LIV

LE PRÉSIDENT
BRUTIFER (1925–19...)
INCROYABLES [1]
PRÉTENTIONS DES
PATAPOUFS. GUERRE
DES ENFERMÉS.
TRAITÉ DE PATAFIOLE.

Le président Brutifer prononçant un discours

(D'APRÈS UN FILM DU 7 JANVIER 1926, À 15 H. 54)

— Les Patapoufs? dit-il. Qui sont les Patapoufs?

5 — Les Patapoufs, dit M. Dulcifer, sont un peuple ridicule qui vit de l'autre côté du golfe. Ils sont affreux à voir,
gros comme des malades, mous comme des coussins,[2]
rouges comme des tomates. Ils sont paresseux [3] comme

---

[1] *incredible.*   [2] *cushions.*   [3] *lazy.*

des chats,[1] mangent toute la journée, boivent, et surtout dorment. Le plus dangereux est que si on les laissait faire,[2] ils répandraient leurs mœurs abominables dans tous les pays du Sous-Sol. Par exemple il y a au milieu du golfe une petite île qui s'appelle Filipouf. Croiriez-vous 5 qu'il y a deux ans les pauvres habitants, qui au fond de leur cœur sont de véritables Filifers, ont été tellement choqués par la conduite des Patapoufs (venus là pour y passer les vacances) que nous avons été obligés d'aller les défendre? 10

— Et il y a eu une guerre? demanda Thierry.

— Comment? dit M. Dulcifer, furieux. Vous ne saviez pas cela? Mais c'est la plus grande guerre de l'histoire, celle qu'on a appelée Guerre des Enfermés.

— Pourquoi Guerre des Enfermés? 15

— Parce que les deux armées, comme vous le saurez si vous lisez avec un peu de soin le livre qui est entre vos mains, finirent par se trouver prisonnières.

— Comment cela? dit Thierry.

— Lisez, dit M. Dulcifer sévèrement. 20

Et Thierry lut:

3. — Le général Tactifer, commandant en chef de l'armée filifer, avait, malgré les intentions pacifiques de notre gouvernement, étudié depuis longtemps un plan de campagne et de ravitaillement [3] qui devait permettre 25 un exploit [4] jusqu'alors jamais réalisé: la traversée du Désert de Sahapouf. En trois semaines il fut devant Pataburg.

4. — Malheureusement, le même jour, une armée patapouvienne débarquait sur les côtes des Filifers et en- 30

---

[1] *cats.* [2] **les laissait faire,** *left them alone, let them do as they please.* [3] *provisioning* (with food, equipment, etc.). [4] *feat, achievement.*

trait à Filigrad. Un juste châtiment [1] attendait les envahisseurs [2]: leur flotte attaquée par des marins filifers fut détruite au large des Aiguilles de Fer. Les Patapoufs étaient prisonniers de leur conquête.

5   5. — Mais la situation où se trouvait alors le général Tactifer ne permit pas de profiter de la situation dangereuse des Patapoufs. En effet, l'armée des Filifers avait, au cours de la glorieuse traversée du Sahapouf, perdu la plus grande partie de ses transports.[3] Elle se trouvait, elle
10   aussi, incapable de quitter Pataburg. De là le nom de Guerre des Enfermés qui fut donné à cette campagne.

       6. — Un armistice, signé au large de Patafiole le 12 juillet 1928, autorisa le rapatriement des combattants. L'armée, sous les ordres du général Tactifer, revint vers
15   le début d'octobre et fut accueillie en triomphe. Le général se retira dans le village de Fili-sur-Anguille où il était né et où on peut le voir conduisant sa charrue.[4]

A ce moment, un long coup de sirène interrompit la lecture. Thierry courut vers les bastingages [5] et poussa un
20   cri [6] de surprise. Devant lui s'ouvrait un grand port dont les maisons étaient hautes comme des tours. Beaucoup de ces tours étaient sculptées.[7] Elles étaient construites de pierres d'un gris rose de l'effet le plus ravissant. Partout flottait le drapeau [8] des Filifers rouge et bleu, en forme
25   d'oriflamme,[9] et Filiport eût été la plus belle ville du monde si un grand nombre des tours n'avaient été en ruines.

[1] *punishment.*   [2] *invaders.*   [3] *means of transportation, conveyances.*
[4] *plow.*   The general's native village is apparently too small to figure on the map, p. 19! However, its approximate location can be determined, since it is on the Anguille River.   [5] *railing.*   [6] **poussa un cri,** *uttered a cry.*   [7] *carved.*   [8] *flag.*   [9] **oriflamme,** flag of French kings, used by them from 1121 to 1415, red ground strewn with flames of gold, long and narrow, ending in two points. See among others, illustration, p. 46.

[38]

— Voici, dit M. Dulcifer, l'œuvre des canons de la flotte patapouvienne . . .

*
* *

Grâce à M. Dulcifer, Thierry passa facilement la formalité de la douane [1]; pourtant, celle-ci était assez sévère pour les voyageurs sans passeport. On mesurait leur tour 5 de taille,[2] leur tour de poitrine; on les pesait et ceux qui dépassaient le poids de leur âge étaient refusés sans pitié. En regardant le tableau affiché [3] Thierry vit qu'à neuf ans, il devait peser moins de 21 kgs.[4] et ne pas dépasser 55 cm.[5] de tour de poitrine. Mais il était mince comme 10 un Filifer, et fut accepté tout de suite.

M. Dulcifer l'emmena avec lui en chemin de fer de Filiport à Filigrad. Le train était confortable, mais naturellement très étroit, parce qu'il ne fallait pas plus de place pour quatre Filifers que pour deux Surfaciens ou 15 pour un seul Patapouf. Dans la campagne les maisons étaient des tours, moins hautes qu'à Filiport, mais très différentes des fermes françaises, car les chambres étaient toujours placées l'une au-dessus de l'autre. Le peuplier [6] semblait être l'arbre favori des Filifers et le lévrier [7] leur 20 chien préféré.

[1] customs.   [2] mesurait leur tour de taille, took their waist measure.
[3] tableau affiché, bulletin board.   [4] kgs., abbrev. for kilogrammes.
A kilogram is equivalent to 2.2 lbs. A nine-year-old "Surfacien" should actually weigh 58 lbs., instead of 46.2 lbs.   [5] cm., abbrev. for centimètres. Since a centimeter is equal to .0394 inches, 55 cm. are equivalent to 21.67 inches, not a very large chest measure!   [6] poplar.
[7] greyhound.

—Ah! pensait
Thierry en re-
gardant cet extraordinaire
petit train, si Edmond
pouvait être ici, comme
il serait heureux, lui
qui fait collection
de wagons [1] de
tous les pays et de
tous les modèles!

[1] *railway cars.*

Trains et constructions d'art filifers

Mais Edmond était sans doute bien loin. Thierry le regretta plus encore quand les plaques tournantes [1] commencèrent à sonner sous le train et quand M. Dulcifer lui dit:

— Nous approchons de Filigrad.

Bientôt en effet on vit les premières maisons d'une ville immense. Elles étaient encore plus hautes que celles de Filiport.

[1] **plaques tournantes,** *turntables* (circular platforms for turning locomotives, and in France, for dropping off cars as train approaches station).

Trains et constructions d'art patapoufs

CHAPITRE SIXIÈME

Le Chancelier de Vorapouf

Mets filifers

EDMOND fut aussi étonné par l'arrivée à Pataport que Thierry l'avait été par l'arrivée à Filiport. Là les maisons étaient aussi rondes et joufflues[1] qu'elles étaient minces et pointues de l'autre côté. Les
5 édifices de Pataport étaient tous surmontés de dômes, de coupoles et fermés par des murs en forme de ventre qui étaient, expliqua M. de Vorapouf à Edmond, la plus belle invention des architectes patapouviens.

Grâce à la protection du chancelier le débarquement
10 fut facile. Il fallut seulement qu'Edmond subît la formalité du pesage.[2] Il avait dix ans. Pour pouvoir entrer il lui

[1] *chubby, bulgy.*   [2] *weighing, being weighed.*

[42]

fallait plus de 30 kgs.,[1] mais il en avait 32; tout allait bien.

Il pouvait à peine parler tant il était ravi de ce qu'il voyait. Autour de lui circulaient ces énormes Patapoufs qui avaient tous un air réjoui [2] et presque tendre. Le long [5] du [3] passage qui conduisait au train on voyait dans le mur de jolis tuyaux nickelés [4] au-dessus desquels on lisait: cacao, orangeade, bouillon, lait de poule,[5] quinquina.[6] A côté de chaque tuyau, des verres en carton [7] étaient entassés [8] et il suffisait d'appuyer sur un ressort [9] pour les remplir du [10] liquide désiré. Des petites filles circulaient, offrant des gâteaux énormes. Un éclair de Patapouf était gros comme un pneu [10] de voiture, une madeleine [11] grosse comme un homard, mais Edmond n'avait pas d'argent et d'ailleurs il devait suivre le prince de Vorapouf et n'osait pas [15] s'arrêter.

Il ne put se retenir de pousser un cri de plaisir quand il aperçut le train. C'était un train géant. L'écartement [12]

---

[1] **30 kgs.** *66 lbs.* A normal American boy of ten years should weigh 64 lbs., a French boy probably less; hence Edmond, weighing 70.4 lbs., could well qualify as a Patapouf. [2] *jovial.* [3] **Le long de,** *along.* [4] **tuyaux nickelés,** *nickel-plated tubes.* [5] **lait de poule,** *eggnog.* [6] *tonic wine, appetizer.* [7] **verres en carton,** *paper cups.* [8] *piled up.* [9] *spring.* [10] Short form for **pneumatique,** *tire.* [11] **madeleine,** a kind of French cake. [12] *spread.*

Mets patapoufs

des rails était de quatre mètres. Les wagons énormes et qui semblaient gonflés [1] débordaient [2] de chaque côté de la voie. M. de Vorapouf fit monter Edmond dans son wagon personnel et l'installa seul dans un splendide com-
5 partiment en lui disant qu'il allait lui-même travailler à côté.[3] Du moins ce fut ce qu'il dit, mais Edmond l'entendit bientôt ronfler.[4]

Un gros maître-d'hôtel entra dans le compartiment et dit à Edmond, en lui présentant un long carton [5] orné de
10 dessins ravissants:

— Sa Seigneurie [6] daignera-t-elle choisir son déjeuner?

Sur cette carte Edmond lut:

HUÎTRES [7] DE MARAPOUF
CAVIAR DE LA POUVE
HOMARD À LA PATABURG
SOLES PATAPOUFS
. . . .
. . . .

Il s'arrêta et demanda:

— J'ai droit à combien de plats?

15 — A tous, naturellement, dit le maître-d'hôtel surpris.

Edmond mangea jusqu'à Pataburg. Par la fenêtre il admirait les prairies [8] remplies d'animaux énormes qui dormaient. Il aima les fermes ballonnées [9] des paysans patapoufs. Les ballons semblaient d'ailleurs le jeu favori
20 des enfants patapoufs. On en voyait partout dans les airs. Aux abords [10] de Pataburg le ciel en était semé. Beaucoup

---

[1] *inflated, swollen.*   [2] *spread out beyond.*   [3] **à côté,** *near by.*
[4] *snoring.*   [5] *card.*   [6] **Sa Seigneurie,** *Your Lordship.*   [7] *oysters.*
[8] *meadows.*   [9] *puffy* (like a balloon).   [10] **Aux abords,** *On the outskirts.*

d'entre eux étaient lumineux. Au-dessous d'eux les grosses maisons étaient elles-mêmes éclairées par les lampes du soir. L'effet était ravissant. « Allons! pensa Edmond. Je vais aimer ce pays. »

Mais tout de même il se sentait terriblement seul. Il pensait à son pauvre papa qui, sans doute, en ce moment, explorait la Roche Jumelle en se demandant où étaient ses petits garçons. Ah! s'il[1] avait l'idée de descendre! S'il trouvait les Escaliers de Surface! Peut-être aurait-on la bonne surprise de le voir arriver.

« Oui, pensa Edmond tristement; seulement papa est certainement un Filifer, il ira sur l'autre bateau; il retrouvera Thierry, mais moi je ne verrai plus jamais personne. »

*

* *

Plus Edmond connut les Patapoufs, plus[2] il les aima. C'était vraiment de braves gens. On ne les voyait jamais en colère. Ils ne disaient jamais de mal les uns des autres. Il était même rare qu'ils fussent tristes; presque tout le jour ils riaient, ils jouaient, ils plaisantaient.[3] Dans leurs conversations ils échangeaient entre eux des recettes de cuisine.[4] Toutes les heures ils mangeaient, puis dormaient un quart d'heure; c'étaient ce qu'on appelait à Pataburg les repas et les sommeils horaires.

Il n'y avait qu'un seul sujet qui pût arracher les Patapoufs à leur bonne humeur, c'était la méchanceté[5] des Filifers, mais on pouvait les excuser quand on voyait les ruines qu'avait laissées dans toutes les campagnes de ce pays fertile l'invasion filiférienne.

---

[1] **s'il,** *if only he.*   [2] **Plus ... plus,** *The more ... the more.*   [3] *joked.*
[4] **recettes de cuisine,** *cooking recipes.*   [5] *wickedness, spitefulness.*

D'ailleurs, malgré tant de juste colère, la plupart des Patapoufs auraient souhaité, pour l'avenir, vivre en bonne intelligence [1] avec leurs voisins.

— Évidemment,[2] disaient-ils, ces Filifers sont des gens que l'on ne peut pas comprendre et qui n'aiment ni manger, ni boire, ni rire, mais ce n'est pas une raison tout de même si deux peuples n'ont pas les mêmes goûts pour qu'ils s'envoient les uns aux autres des morceaux de métal qui éclatent en blessant le monde [3] et en crevant [4] les ballons.

Tous les Patapoufs espéraient que la Conférence de Patafiole dont le moment approchait, allait mettre fin pour toujours aux disputes des deux pays.

¹ en bonne intelligence, *on good terms.* ² *Obviously.* ³ *people.* ⁴ *puncturing.*

Filigrad

UNE RUE BOURGEOISE

—Mais pourquoi est-ce que vous vous battez depuis si longtemps, vous et les Filifers? demanda un jour Edmond au fils de M. de Vorapouf.

—Ah! dit celui-ci, c'est tellement bête que j'ose à peine vous l'expliquer. Au fond, nous sommes d'accord [1] avec 5 les Filifers pour penser que l'Ile de Patafer ne devrait appartenir à personne; ce serait dangereux pour les Filifers si elle était à nous,[2] dangereux pour nous si elle était aux Filifers; seulement les Filifers, tout en acceptant qu'elle soit indépendante, veulent qu'elle porte le nom de Filipouf 10 et nous voulons, nous, qu'elle s'appelle Patafer.

—Qu'est-ce que ça peut vous faire? [3] dit Edmond.

—Oh! à moi, rien du tout, dit le jeune Vorapouf, mais

[1] nous sommes d'accord, *we agree, we are in agreement.* [2] si elle était à nous, *if it were ours.* [3] Qu'est-ce que ça peut vous faire? *What difference can that make to you?*

Pataburg

LA PLACE DE LA BOURSE, CENTRE DES AFFAIRES

mon père dit que l'honneur des Patapoufs ne nous permet pas de céder sur ce point.

— Alors qu'allez-vous faire? dit Edmond.

— Eh bien! je vous l'ai dit. Il a été décidé que dans un
5 mois trois représentants des Patapoufs rencontreront, à Patafiole, qui est la ville frontière, trois délégués des Filifers et qu'ils essaieront de s'entendre.[1] C'est ce qu'on appelle une conférence.

— Nous, en Surface, dit Edmond, on a aussi des con-
10 férences. On en a même presque tout le temps. On en a eu à Genève, à Gênes, à Locarno, à La Haye, à Londres [2] . . .

— Nous, c'est à Patafiole, dit le jeune Vorapouf.

— Nous, dit Edmond, on en a eu tellement que personne [3] les lit même plus.

15 — Mon père dit que c'est ce qu'il faudrait, dit Jacques de Vorapouf; mais c'est notre première conférence et les Filifers prennent tout au sérieux.[4]

---

[1] *to come to an agreement.* [2] Peace conferences have been held in all of these cities. Geneva, as we know, was chosen as the seat of the League of Nations in 1919. The Genoa Conference of 1922 was called to consider the Russian problem and the general economic questions of the world. The Locarno Conference and Treaties of 1925 established mutual guarantees between Germany, France and Belgium, which Germany renounced in 1936 when she reoccupied the Rhineland. The two Hague Peace Conferences of 1899 and 1907 were unsuccessful attempts to establish machinery for maintaining peace. Finally London was the scene of three peace conferences: the first in 1912, and Naval Conferences in 1908 and in 1930 (January 21 to April 22), when inadequate attempts were made to reduce navies and regulate naval warfare. The last one was fresh in people's minds when *Patapoufs et Filifers* was published in October, 1930. All these efforts at establishing peace were either futile or only partially or temporarily successful, hence Maurois' tone of disillusionment.
[3] Edmond should have said: "personne ne les lit même plus." **Ne** is often omitted in similar cases in careless speech.   [4] **prennent tout au sérieux,** *take everything seriously.*

Bientôt le prince de Vorapouf choisit Edmond pour secrétaire. Au lycée, Edmond Double avait toujours été premier [1] en écriture.[2] Il ne pensait pas que cela lui servirait un jour. Ce fut un poste bien agréable, car, grâce à lui, Edmond connut très rapidement les personnages les plus 5 importants du royaume: le Grand Cuisinier, le Grand Pâtissier,[3] le Grand Cigarier.[4] Il fut même présenté au roi Obésapouf XXXII.

— Faites attention, lui avait dit M. de Vorapouf, il faut l'appeler « Sire » et « Votre Majesté ». 10

Mais quand il fut devant le roi, Edmond fut si étonné par son ventre, qu'il ne put plus retrouver une seule des phrases qu'il avait préparées et, sans savoir ce qu'il disait, commença brusquement:

— « Que Votre Majesté, lui répondit l'agneau [5] . . . » 15
Heureusement le roi des Patapoufs avait, comme ses sujets, très bon caractère et il rit beaucoup. Il parla pendant cinq minutes avec Edmond de la cuisine de Surface. Il s'en faisait faire [6] quelquefois et dit à Edmond qu'il l'inviterait un jour à manger un déjeuner surfacien. 20

---

[1] *first in his class.*   [2] *writing, penmanship.*   [3] *pastry cook.*
[4] *cigar maker.* This word is usually feminine: **cigarière.**   [5] Probably
a reference to the famous fable of La Fontaine, *le Loup et l'agneau,*
in which the wolf, eager for prey, accused the lamb of troubling the
water in a stream where they were both drinking, to which accusation,

> « Sire, répond l'agneau, que votre majesté
> Ne se mette pas en colère,
> Mais plutôt qu'elle considère
> Que je me vais désaltérant
> Dans le courant
> Plus de vingt pas au-dessous d'elle, . . . »

[6] **s'en faisait faire,** *had "Surface" cooking done for himself.*

Le maréchal Pouf,

DUC DE FILIGRAD

— Cela vous rappellera votre pays, dit-il avec bonté.

A ce moment entra dans le salon un Patapouf vêtu d'un magnifique uniforme rouge brodé d'or et dont la poitrine était couverte de décorations. (Il fallait pour cela beaucoup de croix, car sa poitrine était large comme la place du marché d'une petite ville française.) M. de Vorapouf,

15 qui était à ce moment derrière Edmond, lui souffla:

— C'est notre grand soldat, le maréchal Pouf, duc de Filigrad.

— Bonjour, Maréchal, dit le roi. Eh bien! vous vous préparez à partir pour Patafiole?

20 — Je ne sais pas encore, dit le maréchal, si Votre Majesté me fera l'honneur de m'y envoyer.

— Comment, dit le roi, il ferait beau [1] voir que celui à qui nous devons la paix ne fut pas appelé à en discuter les termes. N'est-ce pas une guerrière [2] surfacienne, continua-

25 t-il, en se tournant vers Edmond, qui a dit: « Il a été à la peine,[3] il est juste qu'il soit à l'honneur » [4]?

— Oui, dit Edmond en rougissant, je crois que c'est Jeanne d'Arc.

— Sire, dit le maréchal, si vous m'y envoyez, je vous

30 jure qu'il n'y a pas un plus beau jour pour un soldat pata-

---

[1] **il ferait beau,** *it would be fine* (ironical).   [2] *woman warrior.*
[3] **a été à la peine,** *has been in distress.*   [4] **à l'honneur,** *honored.* Joan of Arc was referring to her banner, which, because it had been in battle, had the right to appear at the coronation of the king.

pouf que celui où il peut signer une paix durable.

—J'en suis certain, Maréchal, dit le roi, buvons à la paix.

Le Grand Échanson[1] apporta aussitôt une bouteille de champagne haute comme un homme, que l'on roulait dans un petit chariot,[2] et la vida[3] dans une grande coupe[4] d'or. Le roi et le maréchal burent l'un après l'autre à la

Le même

SOUS UN AUTRE ASPECT

mode patapouvienne, en se regardant dans les yeux. Edmond trouva cette cérémonie très belle. Il l'aurait trouvée plus belle encore, si on lui avait donné un peu de champagne.

—Monsieur le maréchal, dit M. de Vorapouf, quand le roi se fut retiré pour sa sieste (car Sa Majesté devait, elle, dormir toutes les demi-heures), peut-être aimeriez-vous parler avec mon ami des méthodes de guerre surfaciennes? Il m'a dit des choses très intéressantes sur des trous que là-haut on creuse pour se protéger des obus.[5]

—J'ai entendu parler de cela,[6] dit le maréchal. J'ai même envoyé par les Escaliers de Surface une mission secrète pour étudier ces « tranchées ».[7] Je crois que c'est ainsi que vous les appelez? Mais ce n'est pas pratique[8] pour nous. D'abord pour des soldats patapoufs il faudrait des tranchées tellement larges, qu'elles ne seraient plus un

15

20

25

30

---

[1] *Cupbearer.* [2] *cart.* [3] *emptied.* [4] *goblet.* [5] *shells, bombs.* [6] **J'ai entendu parler de cela,** *I have heard (speak) of that.* [7] *trenches.*
[8] *practical.*

Les Filifers en manœuvres

THÈME: ORGANISATION DU REPOS

abri. Ensuite, comme vous le savez, Monseigneur, le Patapouf a horreur des travaux de campagne.[1] Il aime encore
mieux un bref combat, dangereux évidemment, mais après
lequel, si on en sort vivant, on peut tout de suite faire un
5 repas et dormir. Nous avons, ajouta-t-il en se tournant
vers Edmond, un règlement de cuisine [2] en plein air qui
vous intéressera beaucoup. Par exemple, connaissez-vous
la bécasse cuite dans l'argile? [3] . . .

Pendant tout le reste de la visite, le maréchal ne parla
10 plus que de nourriture.[4]

[1] **travaux de campagne,** *manual labor connected with a military
campaign* (such as building fortifications). [2] **règlement de cuisine,**
equipment for cooking. [3] **la bécasse cuite dans l'argile,** *woodcock
cooked in clay.* [4] *food.*

Edmond assista, comme secrétaire du chancelier, à tous les travaux préparatoires de la Conférence de Patafiole. Il admira la bonne volonté [1] des Patapoufs. Ils étaient prêts à s'entendre avec les Filifers sur tous les points. Évidemment, ils se refusaient à admettre que l'Ile de Patafer s'appelât jamais Filipouf. Mais Edmond lui-même commençait à trouver qu'ils avaient raison là-dessus.[2]

On croyait tellement à Pataburg que la Conférence réussirait et que la paix y serait enfin signée que tous les grands dignitaires souhaitaient être envoyés à Patafiole; mais la délégation ne pouvait se composer que de trois membres, et quand la liste fut communiquée aux journaux, beaucoup furent désappointés. Heureusement, les Patapoufs n'étaient pas ambitieux et, après un bon repas, tout fut oublié. La liste était la suivante:

LE CHANCELIER, prince de Vorapouf, président.
LE MARÉCHAL POUF, duc de Filigrad.

[1] **la bonne volonté,** *good will.*   [2] *in that matter.*

Les Patapoufs en manœuvres

THÈME: EXPLOITATION DU TERRAIN CONQUIS

Le Professeur comte Rampata,[1] président de l'Académie Historique.

Le professeur Rampata avait été choisi, parce qu'il connaissait mieux que personne toutes les questions relatives
5 à l'histoire de l'Ile de Patafer sur laquelle il avait écrit cent vingt-trois volumes. Le chancelier avait pensé que sa science serait précieuse si les Filifers voulaient soulever, à nouveau, cette question. Mais, à Pataburg, ce choix fut assez généralement regretté. Le professeur Rampata pas-
10 sait pour [2] avoir mauvais caractère.[3] Il descendait d'une des très rares familles que l'on appelait à Pataburg familles « Patas pures ».

On reconnaissait ces Patas à leurs noms qui se terminaient en *pata* et non en *pouf*, mais surtout à leur caractère,[4]
15 car ils avaient presque tous gardé la violence primitive de ces nomades conquérants. Comme tous les Patapoufs ils étaient gras, mais leurs visages étaient différents de ceux des autres familles. Les Filifers disaient toujours qu'il fallait distinguer les Patapoufs-marmottes [5] et les Patapoufs-
20 sangliers.[6] Les Patapoufs-sangliers étaient en réalité les « Patas purs ». Ils formaient une noblesse très respectée dans ce pays où l'on attachait grande importance à la naissance. Mais, pour une conférence de réconciliation, le choix n'était pas heureux. On espéra pourtant que la
25 douceur bien connue du chancelier et le pacifisme iné-branlable [7] du maréchal Pouf apaiseraient le professeur.

La veille du départ pour Patafiole le chancelier apprit à Edmond qu'il l'avait choisi parmi tous les secrétaires pour l'emmener à la conférence. Sans doute était-il assez fier de
30 montrer un secrétaire surfacien.

[1] *Cf.* illustration, p. 74.   [2] **passait pour,** *had the reputation of.*
[3] **avoir mauvais caractère,** *being bad-tempered.*   [4] *disposition.*
[5] *woodchucks.* [6] *wild boars.* [7] *unshakable.*

CHAPITRE SEPTIÈME
Le Président Rugifer

Le lit-tubulaire-extensible-réveille-matin-hydraulique

EN USAGE DANS TOUTE LA RÉPUBLIQUE DES FILIFERS, ET SON
FONCTIONNEMENT

TANDIS que son frère Edmond devenait ainsi le favori des principaux parmi les Patapoufs, Thierry
observait les Filifers.

Ils étaient remarquables par plusieurs traits. D'abord,
ils travaillaient beaucoup plus que les gens de Surface. A 5
l'heure du déjeuner, Thierry avait toujours vu son papa
se reposer un instant après son café, jouer avec les enfants
ou bavarder [1] avec Mme Double. Jamais on ne voyait un
Filifer de plus de trente ans se divertir [2] et quand des
jeunes gens jouaient au [3] ballon (avec de curieux ballons 10
très longs et très minces), le jeu avait toujours l'air d'un
exercice militaire.

[1] *chat.* [2] *amuse himself.* [3] Note that **à** is used with **jouer** when
it is a question of a game.

Pour les Filifers, le temps semblait être ce qu'il y avait de plus précieux au monde. Quand ils donnaient un rendez-vous, c'était à 6 heures 17 minutes 3 secondes, à 3 heures 14 minutes 22 secondes. Dans la maison des Dulcifer les repas étaient à 8 heures du matin et à 8 heures du soir et si les enfants n'étaient pas à table au moment où sonnait le dernier coup de 8 heures, ils étaient privés de dîner. Quant au repas du milieu du jour, il était supprimé dans toutes les familles. Les Filifers mangeaient toujours debout, très vite et très peu. Dans les rues on ne voyait pas de pâtisseries,[1] mais des magasins de vermicelles, de nouilles [2] et de machines à calculer.[3] Avant chaque repas, M. Dulcifer, debout devant son assiette vide, prononçait d'un air sévère une phrase qui, disait-il, était d'un grand Surfacien: « Il faut manger pour vivre et non pas vivre pour manger ».[4]

Les Filifers étaient de merveilleux calculateurs. Tout le monde à Filigrad tenait des comptes à toute heure du jour. La monnaie [5] était composée de fils d'or, d'argent et de cuivre de longueurs [6] différentes. Dans les tramways les femmes qui payaient leur place deux fils de cuivre, tiraient aussitôt un carnet [7] pour inscrire cette dépense. Naturellement elles devaient écrire debout car il n'y avait aucune place assise. L'homme le plus riche du pays, l'ingénieur Ploutifer, président de la Cie [8] Filiférienne des Vermicelles, voyageait toujours debout dans sa propre voiture, car le

---

[1] *pastry shops.* [2] *noodles.* [3] **machines à calculer,** *adding machines.* [4] Molière is undoubtedly the great "Surfacien" to whom M. Dulcifer referred, as it was he who made this maxim famous when, in *l'Avare* (III, 1), Valère, wishing to please the miser, Harpagon, said ". . . suivant le dire d'un ancien, *il faut manger pour vivre et non pas vivre pour manger.*" Socrates is very probably the "ancien" who originated the phrase. [5] *money* (of small denominations). [6] *lengths.* [7] *notebook.* [8] **Cie,** abbrev. for **compagnie.**

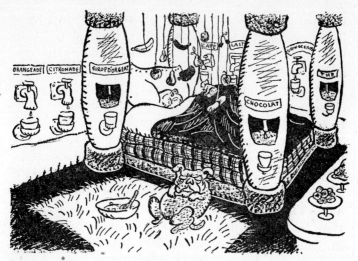

Une chambre à coucher patapouf

goût du confort était considéré par les Filifers comme une
faiblesse. Dans les maisons, et malgré leur grande hauteur,
il n'y avait jamais d'ascenseurs.¹ Thierry soufflait en mon-
tant les terribles escaliers filifers aux marches hautes et
étroites.   5

Les vermicelles étaient l'industrie principale des Filifers,
mais ils fabriquaient aussi des saucissons et des bougies.²
Leur dégoût invincible pour tous les objets ronds rendait
certaines industries difficiles. Par exemple ils ne fabriquaient pas eux-mêmes les roues et les pneumatiques et 10
devaient les importer de Patapouf. En revanche les Patapoufs achetaient aux Filifers les tiges de piston,³ les fils
d'acier.⁴

On comprend que chez un peuple aussi exact, tous les
services marchaient mieux qu'en Surface. Thierry avait 15

¹ *elevators.*   ² *candles.*   ³ **tiges de piston,** *piston rods.*   ⁴ **fils
d'acier,** *steel wire.*

toujours vu son père et sa mère souffrir et s'irriter quand ils demandaient une communication téléphonique.[1] Chez les Filifers, on avait à peine prononcé le nom de la personne à laquelle on voulait parler, que déjà elle était là.
5 Les trains partaient et arrivaient à l'heure.[2] Dans les classes, on donnait à la même minute le même devoir ou la même leçon dans toutes les écoles de la république. Thierry trouvait assez commode cette précision des Filifers. Avec eux on savait sur quoi l'on pouvait compter.

10 Le malheur était qu'ils n'avaient pas bon caractère. Ils n'étaient pas méchants, mais envieux et ambitieux. Dès qu'un Filifer avait une place, tous les autres la voulaient. Dans les rues, on ne voyait que gens qui se querellaient.[3] M. Dulcifer disait toujours du mal des autres professeurs,
15 ses collègues. Les enfants Dulcifer étaient jaloux les uns des autres; si l'on devenait l'ami de l'un des trois, les deux autres prenaient les mines les plus sombres. Avec leurs

[1] **communication téléphonique,** *telephone number.*   [2] **à l'heure,** *on schedule.*   [3] *quarreled.*

Sports filifers:

LE SPRINT-BALL

enfants, les parents Filifers étaient sévères; ils les punis-saient ¹ beaucoup, en répétant sans cesse: « C'est dans leur intérêt ».

Tout de suite M. Dulcifer fit comprendre à Thierry qu'il ne pouvait l'envoyer à l'école avec ses propres en- 5 fants, parce qu'il n'avait aucune raison de payer l'éduca-tion d'un étranger.

— Vous devez, avait-il dit à Thierry, gagner votre pen-sion, si vous voulez rester ici. C'est dans votre intérêt.

— Mais, qu'est-ce que je peux faire? avait demandé 10 Thierry.

— Beaucoup de choses, dit M. Dulcifer. Par exemple, vous avez une bonne écriture, vous pourriez être secré-taire.

— Mais qu'est-ce que c'est, secrétaire? dit Thierry. 15

— Un secrétaire est un homme qui écrit des lettres pour un autre, qui prend des notes pour lui, enfin qui l'aide dans son travail.

¹ *punished.*

Le sport national patapouf:
LA COURSE AUX CERVELAS

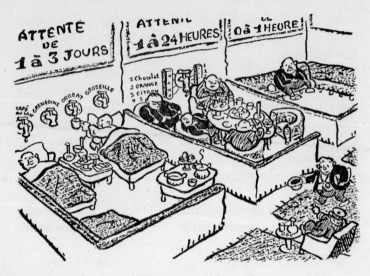

Salle d'attente patapouf

—Mais je n'aime pas du tout écrire des lettres, dit Thierry.

—Je ne vous demande pas ce que vous aimez, dit M. Dulcifer; chez nous autres Filifers, quand on veut
5 manger, il faut travailler. C'est dans votre intérêt. Je vais aller demain me renseigner [1] et demander s'il y a, dans les ministères, des postes vacants.

*
* *

Le lendemain il revint en disant qu'il avait trouvé un poste pour Thierry chez le président Rugifer qui, depuis
10 longtemps, demandait un secrétaire surfacien.

Au nom de M. Rugifer, les petits Dulcifer et Mme Dulcifer poussèrent des cris d'admiration.

—Vous avez de la chance! dirent-ils à Thierry.

----

[1] *inform myself.*

Salle d'attente filifer

—Qui est M. Rugifer? demanda Thierry.

—C'est le président du Conseil, ministre de l'Amaigrissement,[1] dit M. Dulcifer avec solennité.

—Qu'est-ce que c'est que ça? dit Thierry.

—Rugifer est un grand Filifer, dit M. Dulcifer; c'est 5
un homme qui a fait perdre à chaque citoyen [2] de ce pays
près d'un kilo et qui a réduit les rations de plus de vingt
pour cent. Il vous attend demain à 6 heures 33 minutes
du matin.

—Moi? dit Thierry. Mais je me lève à sept heures! 10

—Alors, mon petit ami, dit M. Dulcifer, il faudra
changer vos habitudes. D'ailleurs, pensez que si vous
gagnez une heure par jour, cela fera 365 heures par an et
21.900 heures en 60 ans, c'est-à-dire que vous vivrez 1825

[1] **ministre de l'Amaigrissement,** *Minister of the Department for
Reducing.* [2] **a fait perdre à chaque citoyen,** *has made each citizen
lose.*

jours [1] de plus. C'est dans votre intérêt.

Le lendemain, bien qu'il se fût levé dans l'obscurité, Thierry était un peu en retard quand il arriva au Ministère de l'Amaigrissement. A la porte, des huissiers [2] d'une admirable maigreur, consultèrent une note:

—Thierryfer? dirent-ils, Thierryfer? [3] Ah! oui! Mais, mon garçon, vous étiez convoqué [4] à 6 heures 33 minutes et il est 6 heures 37. Eh bien! Le président va vous faire une belle réception!

M. *Rugifer en temps ordinaire*

L'huissier téléphona et dans le téléphone on entendit des rugissements. [5] L'huissier fit signe à Thierry de le suivre, et, 20 par un couloir [6] qui n'avait pas 50 centimètres de large, [7] le conduisit devant une porte de cuir. Celle-ci s'ouvrit et Thierry vit, assis devant un bureau, un homme qui avait exactement l'aspect d'une lame [8] de couteau; mais de ce corps presque invisible sortait une voix formidable.

25 — C'est vous Thierryfer? dit-il. Vous êtes un paresseux et un retardataire. [9]

— Mais, dit Thierry . . .

— Taisez-vous! Vous êtes un menteur [10] et un bavard. [11]

— Mais, dit Thierry . . .

[1] Reckoned on the basis of a 12-hour (working) day.   [2] *ushers.*
[3] Note the name which is given Thierry by the Filifers.   [4] *summoned.*
[5] *roarings.*   [6] *corridor.*   [7] **qui n'avait pas 50 centimètres de large,** *which wasn't 50 centimeters wide.*   [8] *blade.*   [9] *laggard.*   [10] *liar.*
[11] *chatterer.*

—Taisez-vous! Vous êtes un crétin [1] et un idiot.

—Je vais essayer de me taire, pensa Thierry; il se calmera peut-être.

Il découvrit en effet, que, si on ne lui répondait pas, M. Rugifer se calmait tout de suite. Il avait besoin, pour se soulager,[2] de dire deux mots désagréables aux gens qui l'avaient mécontenté,[3] mais jamais un de plus, et cela suffisait pour qu'il inspirât une grande terreur à tous les Filifers. Au fond, ce n'était pas du tout un homme méchant; il était même meilleur que la plupart de ses compatriotes, et quand Thierry eut pris l'habitude de travailler avec lui, il en vint à l'aimer.[4]

Le travail de Thierry n'était pas difficile; il devait répondre au téléphone et dire: « Je regrette, mais le président est occupé ». C'était un peu monotone, mais Thierry avait toujours aimé téléphoner. Au bout de huit jours, il était tout à fait habitué [5] à M. Rugifer et n'écoutait même plus quand celui-ci lui disait: « Thierryfer, vous êtes un crétin et un idiot ». De la part de [6] M. Rugifer, cela lui paraissait aussi naturel que si le président avait dit bonjour.

M. Rugifer avait deux qualités qui le rendaient sympathique [7]: il aimait son pays, et il aimait Mme Rugifer, qui venait souvent au Ministère. Elle était jolie, douce et beaucoup moins maigre que

Le même dans ses moments de bonne humeur

---

[1] *dunce.* [2] *relieve his mind.* [3] *had displeased him.* [4] *en vint à l'aimer, came to like him.* [5] *accustomed.* [6] **De la part de,** *From, Coming from.* [7] *likable.*

les autres dames filifériennes.   S'il avait osé, Thierry aurait presque pu dire que Mme Rugifer était une Patapouf. Mais M. Rugifer l'aurait tué, car il ne haïssait [1] rien au monde autant que les Patapoufs.

5   — Ce sont des bandits et des canailles,[2] disait-il.

Mais il adorait Mme Rugifer.

[1] *hated*.   [2] *scoundrels*.

CHAPITRE HUITIÈME

Conférence de Patafiole

Musiciens filifers

ON REMARQUERA LES DIMENSIONS PATAPOUVIENNES DES INS-
TRUMENTS, DUES À LEUR GOÛT DE L'EFFORT

UN VOYAGE avec le chancelier de Vorapouf était
toujours un grand plaisir. De grandes automobiles-
ballons transportèrent la délégation, dont faisait
partie Edmond, jusqu'au petit port de Pataplage. Là était
mouillé [1] le yacht royal que Sa Majesté Obésapouf XXXII
avait mis à la disposition des délégués. Tous les bateaux,
dans le port, étaient couverts de drapeaux. Sur le quai de
Pataplage flottaient de grandes banderoles [2]: « Vive la
paix ! [3] Amitié aux Filifers ! »

[1] *anchored.*   [2] *streamers.*   [3] **Vive la paix !** *May there long be peace!*

Dès qu'on fut sur les flots dorés de la Mer Jaune et toute
la délégation confortablement installée dans de grands
fauteuils, un maître-d'hôtel vint présenter à chacun une
carte sur laquelle on lisait:

HUÎTRES DE MARAPOUF

CAVIAR DE LA POUVE

HOMARD À LA PATABÙRG

SOLES PATAPOUFS

. . . .

. . . .

5 et tout le monde mangea, sans perdre une minute, jusqu'à
Patafiole, tandis que le professeur Rampata racontait comment l'Ile de Patafer, que l'on apercevait toute proche,
avait été fondée par des Patapoufs. Le capitaine du yacht,
non sans imprudence, fit passer son bateau à moins de dix
10 mètres de la côte nord de l'île, et sur le rivage [1] on vit les
habitants de Patafer qui agitaient des mouchoirs. La petite
ville frontière de Patafiole était pavoisée [2] de drapeaux aux
couleurs des deux nations. Une garde de soldats patapoufs
et filifers, assez comique par le contraste des deux races,
15 rendit les honneurs au débarcadère.[3] Cinq minutes plus
tard, avec une ponctualité impeccable, arriva la délégation des Filifers. Elle était composée de trois membres:

SON EXCELLENCE M. Rugifer, PRÉSIDENT DU CONSEIL, et
président de la délégation.

20 LE GÉNÉRAL Tactifer.

LE PROFESSEUR Dulcifer.

Edmond les regarda descendre du train, avec beaucoup
de curiosité. Pour lui qui aimait tant les wagons, rien

[1] *shore.*   [2] *bedecked.*   [3] *wharf.*

[66]

n'était plus curieux que cette ligne si étroite, ces rails si rapprochés, ces compartiments étroits et allongés.¹ Il trouvait aussi un vif intérêt à regarder les signaux, car la frontière les partageait en deux groupes très différents; du côté patapouf, ils étaient ronds et l'on voyait apparaître ₅ un cercle rouge, un cercle vert; tandis que du côté filifer, c'étaient de minces lames ² de lumière alternativement ³ bleues ou jaunes. Tout d'un coup, Edmond se retourna et, malgré la solennité du moment, il poussa un cri, car, derrière les grands personnages filifers, descendait son ₁₀ frère Thierry.

— Thierry ! cria-t-il.
— Edmond !

¹ *elongated.*   ² *streaks.*   ³ *alternately.*

Musiciens patapoufs

ON REMARQUERA LA FORME FILIFÉRIENNE DE LEURS INSTRU-
MENTS, DUE À LEUR GOÛT DU MOINDRE EFFORT

Ils firent le tour [1] des délégations pour se serrer la main. Ils s'efforçaient tous deux de rester calmes, pour ne pas trop attirer l'attention, mais jamais ils n'avaient été plus heureux. Le chancelier de Vorapouf, qui avait remarqué
5 l'incident, demanda des explications,[2] et quand il sut que son secrétaire était le propre frère du secrétaire de M. Rugifer, il en pleura presque d'attendrissement [3] et dit qu'une coïncidence si extraordinaire était un heureux présage [4] pour la conférence. M. Rugifer répondit sèchement [5] que
10 c'était un détail sans intérêt.

Le premier contact ne fut pas encourageant. Depuis plusieurs mois des ouvriers des deux pays avaient travaillé à construire sur la frontière même un Hôtel de la Conférence. Naturellement il avait été impossible de confier

---

[1] **firent le tour,** *went around behind.*
[2] *explanations.*   [3] *emotion.*   [4] *omen.*
[5] *curtly.*

Le général Tactifer

TEL QU'ON PEUT LE VOIR À 5 H. DU MATIN

Le même

À 5 H. DU SOIR

ce travail à un architecte des pays du Sous-Sol. Le choix aurait soulevé trop de colères. Le chancelier de Vorapouf et le président Rugifer avaient donc d'un commun accord fait venir un jeune architecte de Surface et celui-ci avait dessiné un bâtiment qui était assez beau et qui aurait eu peut-être un grand succès à Genève, comme palais de la Société des Nations, mais qui malheureusement choqua, dès qu'ils l'aperçurent, les hommes d'état [1] patapoufs et filifers.

— Comme c'est plat! dit le professeur Rampata avec dégoût.

— Comme c'est lourd! dit le général Tactifer avec mépris.

Ce fut bien pire lorsqu'ils y entrèrent. L'architecte, ahuri [2] par les ordres contradictoires qu'il recevait des deux pays, avait fini par construire son hôtel comme il l'aurait fait en Surface. Les portes tournantes [3] de l'entrée furent cause d'incidents pénibles. Les Filifers, trop légers, avaient grande peine à les faire tourner. Quand enfin ils y réussissaient, ils se trouvaient ballottés [4] sans fin, car ils ne pouvaient plus les arrêter. Quant aux Patapoufs, il leur

---

[1] **hommes d'état,** *statesmen.* [2] *bewildered.* [3] **portes tournantes,** *revolving doors.* [4] *tossed about.*

fallait un grand effort pour y entrer, un plus grand encore pour en sortir.

Thierry et Edmond étaient, eux, ravis de trouver enfin des escaliers et des ascenseurs semblables à ceux de Paris.
5 Mais ils étaient seuls à les admirer. Les Patapoufs, habitués à voir dans toutes les maisons des escaliers mobiles ou des tapis roulants,[1] regardaient avec effroi [2] ces appareils d'ailleurs trop petits pour eux. Les Filifers se jetaient à leur manière rapide et brusque sur les escaliers, mais
10 comme ceux-ci n'avaient pas la forme à laquelle ils étaient habitués, plusieurs d'entre eux tombèrent. Le professeur Dulcifer s'écorcha [3] le genou et devint plus irritable que jamais, tandis que le maréchal Pouf, dont plusieurs décorations avaient été arrachées par l'ascenseur, soufflait et grommelait.[4]

Aussi dès les premières minutes Thierry et Edmond comprirent que tout allait mal des deux côtés. Les délégués

[1] **tapis roulant,** *traveling band* (on an escalator, for example).
[2] *terror.* [3] *skinned.*
[4] *grumbled.*

Le maréchal Pouf, duc de Filigrad, prisonnier de la porte-tournante

[70]

M. Rugifer prend mauvaise opinion des architectes surfaciens

parlaient d'un air de reproche de la mauvaise organisation
de cette conférence. Les Patapoufs avaient proposé qu'avant
de se mettre au travail on prît un repas ensemble; mais les
Filifers, qui ne mangeaient jamais au milieu du jour, exi-
gèrent qu'on se réunît aussitôt pour une première séance. 5
Le prince de Vorapouf, effrayé par la voix terrible de
M. Rugifer, céda tout de suite, mais se fit préparer une
grande quantité de sandwiches et de gâteaux, pour pouvoir supporter ce retard dans ses repas habituels.

Enfin les deux délégations furent assises l'une en face de 10
l'autre, autour d'une grande table recouverte d'un tapis [1]
vert, dans la salle des fêtes [2] de l'Hôtel de Ville.[3] Edmond
et Thierry, debout derrière leurs deux chefs, se faisaient de
petits signes d'amitié. Le chancelier de Vorapouf allait
proposer que l'on choisît un président quand M. Rugifer 15
se leva et dit d'un ton coupant:

— Avant que ne commencent ces délibérations, il y a
deux points sur lesquels je désire, pour éviter tout malentendu,[4] faire connaître clairement ma pensée. Le premier,
c'est que je considère comme indécent que dans la liste 20
des délégués patapoufs, qui a été communiquée à la presse,
le maréchal Pouf figure avec le titre de duc de Filigrad: le

---

[1] *cloth.* [2] **salle des fêtes,** *banquet hall.* [3] **Hôtel de Ville,** *town
hall.* [4] *misunderstanding.*

La table de la conférence préparée par Edmond et Thierry

maréchal Pouf n'a jamais pris Filigrad, c'est Filigrad qui
a pris le maréchal Pouf.

Edmond regarda son pauvre ami le maréchal, qui était
devenu tout rouge et qui allait répondre, quand M. Rugi-
5 fer continua:

— Le second point, c'est que nous n'admettrons pas
qu'au cours de ces discussions l'île qui en est l'objet soit
désignée sous le nom de Patafer, alors que [1] de temps im-

[1] **alors que,** *whereas.*

[72]

mémorial elle a été connue sous le nom de Filipouf. Nous voyons très bien quel sens attribue à ce changement de nom la délégation qui est en face de nous et qui, en mettant *Pata* au commencement du mot, veut indiquer que l'île appartient plutôt aux Patapoufs qu'aux Filifers. Je ne me prêterai pas à [1] cette manœuvre.[2] Ce second point est un ultimatum; nous ne discuterons pas plus longtemps s'il n'est pas réglé immédiatement.

Les Patapoufs, qui avaient la bouche pleine, se regardèrent consternés.[3] Le professeur Rampata semblait furieux. Il murmura quelques mots à l'oreille du chancelier qui dit:

— La parole est au professeur [4] comte Rampata, qui répondra au nom du roi des Patapoufs.

— Messieurs, dit le professeur Rampata, nous pourrions comprendre l'émotion de l'honorable président Rugifer, si le nom de Patafer était nouveau, mais la vérité est, Messieurs, que ce nom est aussi ancien que l'histoire elle-même de nos deux pays. Dès le XIIe siècle, dans un texte de notre grand poète, Ronsapouf, vous trouverez le vers bien connu:

L'Ile de Patafer aux amandiers fleuris [5]

Au XIIIe siècle . . .

Le chancelier de Vorapouf, voyant que M. Rugifer allait éclater, intervint [6] avec un sourire:

— Messieurs, pour prouver notre désir de conciliation, je vous propose ceci: nous emploierons, nous, le mot Pata-

---

[1] **Je ne me prêterai pas à,** *I shall not be a party to.*   [2] **cette manœuvre,** *these tactics.*   [3] *dismayed.*   [4] **La parole est au professeur,** *The professor has the floor.*   [5] **amandiers fleuris,** *flowering almond trees.* **Ronsapouf** is evidently a souvenir of Ronsard, a famous French sixteenth-century poet, although this is not an imitation of any particular line of his.   [6] *intervened.*

fer, et la délégation filiférienne emploiera le mot Fili-pouf. Je pense qu'ainsi toutes les susceptibilités seront calmées.

A ce moment, M. Rugifer rugit [1]:

5 —Je n'ai jamais entendu de proposition plus insolente. Le professeur Rampata est un pédant et un ignorant.

Le professeur devint violet, puis blanc, puis rouge. Il toussa,[2] s'étrangla [3] et quitta la salle. Le chancelier et le maréchal Pouf se regardèrent, puis, ne sachant que faire,[4] 10 le suivirent. La délégation des Filifers sortit de l'autre côté. Il n'y avait plus dans la salle qu'Edmond et Thierry qui se précipitèrent l'un vers l'autre.

—Ils sont fous, tes Filifers? dit Edmond à Thierry.

—Non, dit Thierry. Mais il faut connaître Rugifer. Il 15 n'est pas méchant. Quand il dit que Rampata est un pédant et un ignorant, pour lui ce sont des mots très doux. Si l'autre ne s'était pas fâché, une minute plus tard Rugifer se serait calmé.

—Que c'est dommage! [5] dit Edmond. Si tu connaissais 20 les Patapoufs, tu verrais. Ils sont si gentils, si conci-liants; ils étaient venus là avec un tel désir de paix.

—Tu devrais leur ex-25 pliquer ce que je viens de te dire, dit Thierry. Et tout de suite, car cette discussion devient dan-gereuse. Je connais mes

Le professeur Rampata parle avec
fermeté

[1] roared. [2] coughed. [3] stran-gled. [4] **ne sachant que faire,** not knowing what to do. [5] **Que c'est dommage!** What a pity it is!

Filifers.¹ On peut très bien s'entendre avec eux, mais si on les contrarie ² sur des questions d'orgueil, ils sont capables de tout.³ Dans le train, je les ai entendu dire qu'ils préféraient la guerre plutôt que d'accepter ce nom de Patafer.   5

— Tu ne trouves pas cela idiot? dit Edmond.

— Stupide, dit Thierry. Mais si nous pouvions arranger les choses . . .

— Il y aurait peut-être un moyen, dit Edmond. Si l'on convenait de dire, pendant toute la Conférence, « Ile de 10 Patafer ou Filipouf »? ⁴

Thierry réfléchit un instant.

— Oui, dit-il, je crois que je pourrais faire accepter cela par le président. Courons vite!

Edmond passa dans la chambre où s'était retirée la 15 délégation des Patapoufs et il trouva les trois gros hommes autour d'une table; ils s'étaient fait servir leur repas horaire. Il leur raconta la conversation qu'il venait d'avoir avec son frère.

Le pauvre maréchal 20 était obsédé ⁵ par les paroles de M. Rugifer à son égard.⁶ « Je n'ai pas demandé le titre de duc de Filigrad, gémissait-il,⁷ je 25

Le président Rugifer répond avec modération

¹ mes Filifers. An amusing use of the possessive adjective; Thierry has a proprietary interest in the Filifers. ² *opposes.* ³ capables de tout, *apt to do anything.* ⁴ Note in which order Edmond puts the names. ⁵ *obsessed.* ⁶ à son égard, *in reference to him.* ⁷ *he groaned.*

[75]

suis prêt à y renoncer. » Le chancelier le consola et dit à Edmond que pour son compte [1] il acceptait volontiers de dire à l'avenir: « Ile de Patafer ou Filipouf ».

Mais M. Rugifer, lorsque Thierry lui fit cette proposition, répondit:

— Si vous pensez que j'emploierai jamais cette expression, vous êtes un étourdi [2] et un songe-creux! [3]

Puis, après avoir réfléchi un instant, il ajouta d'un ton plus calme:

— J'accepterais, à la rigueur,[4] que l'on dît « Ile de Filipouf et Patafer ».

— Si ce n'est qu'une question d'ordre des mots, dit Thierry, il me semble que cela devrait s'arranger.

Il courut, une fois de plus, jusqu'à la salle où siégeaient [5] les Patapoufs. Mais à sa grande surprise, il les trouva, cette fois aussi têtus [6] que les Filifers.

— Non, non! dit le comte Rampata. C'est impossible. Nous ne pourrions rentrer à Pataburg. La jeunesse pata nous lapiderait.[7]

A ce moment, un soldat filifer entra, portant un message du président Rugifer.

Celui-ci disait que la proposition dont il avait chargé son secrétaire était la dernière qu'il ferait, que c'était un ultimatum, qu'il donnait à la délégation des Patapoufs dix minutes pour l'accepter, qu'il avait commandé son train et qu'il partirait s'il n'avait pas entière satisfaction.

— C'est la guerre, dit le maréchal Pouf avec désespoir.[8]

— C'est la guerre, dit le comte Rampata, avec satisfaction.

---

[1] **pour son compte,** *as far as he was concerned.*   [2] *scatterbrain.*
[3] *visionary, dreamer* (**songe** *dream,* **creux** *hollow*). [4] **à la rigueur,** *if need be, in a pinch.* [5] *were in session.* [6] *stubborn.* [7] **nous lapiderait,** *would stone us to death.* [8] *despair.*

Un quart d'heure plus tard, les Patapoufs arrivaient sur
le quai de Patafiole, encore étourdis [1] de ce coup. Ils
avaient, dans leur émotion, oublié deux siestes horaires et
leurs yeux se fermaient de fatigue. Edmond regardait avec
admiration courir dans la campagne, sur ses petits rails, la   5
locomotive étroite des Filifers qui retournaient chez eux.

[1] *dazed, stunned.*

CHAPITRE NEUVIÈME

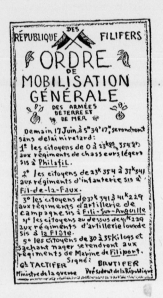

Nouvelle
Guerre
des
Patapoufs
et
des
Filifers

R IEN ne peut se comparer à l'enthousiasme avec
lequel M. Rugifer fut reçu à Filigrad. Le président
Brutifer, bien qu'il pâlît de jalousie, vint au-devant
de ¹ la délégation. Toute la jeunesse de la ville s'était
5 massée dans les rues que devaient parcourir les trois héros
pour rentrer au Ministère de l'Amaigrissement. Les plus
pauvres des Filifers avaient tenu à ² acheter un drapeau.
Du sommet des tours efflanquées ³ pendaient de longues
oriflammes. Sur les places publiques les musiques ⁴ mili-

---

¹ **vint au-devant de,** *came to meet.*   ² **avaient tenu à,** *had been bent
on, had made a point of.*   ³ *gaunt, slender.*   ⁴ *bands.*

taires jouaient l'Hymne Mince [1] du grand Flutifer. Déjà on affichait [2] les ordres de mobilisation de l'armée et de la marine pour le lendemain à 5 h. 34 du matin.

Rien, dis-je, ne pouvait se comparer à l'enthousiasme des Filifers, si ce n'est celui avec lequel le professeur Rampata et ses collègues furent accueillis à Pataburg. Le roi Obésapouf changea l'heure d'un de ses repas pour recevoir au pied de l'escalier du palais les délégués qui avaient défendu l'honneur de Patapouf. Les dames des plus anciennes familles patas tinrent à venir elles-mêmes offrir des fleurs aux trois héros. Le professeur Rampata qui, à Patafiole, avait été le plus dur, fut le plus fêté au retour, fait remarquable si l'on veut bien se souvenir de l'humeur si douce des Patapoufs. Le chœur [3] de la Chapelle Royale chanta l'Hymne Obèse de Grabski-Korsapouf. Déjà des afficheurs,[4] munis [5] de grands seaux de colle à la vanille,[6] affichaient [7] sur des panneaux [8] en forme de ballon les ordres de mobilisation, que léchaient [9] les petits garçons. Ils auraient léché avec moins d'enthousiasme s'ils avaient su quels malheurs préparait pour eux cette affiche rose surmontée du drapeau des Patapoufs.

[1] **Hymne Mince,** the Filifers' national anthem, title appropriately chosen, as well as the name of the composer. Note, farther on, the Patapouf national anthem and the humorous connotation of the composer's name, which is made up of **gras,** *fat,* and **pouf,** reminiscent of Rimski-Korsakov, the great Russian composer of the last century.   [2] *posted.*
[3] *choir.*   [4] *billposters.*   [5] *equipped.*
[6] **seaux de colle à la vanille,** *pails of vanilla paste.*   [7] *posted.*
[8] *billboards.*   [9] *licked.*

Edmond assista, chez le chancelier, au conseil de guerre où fut arrêté [1] le plan de campagne. Le maréchal Pouf semblait très confiant.

—Je puis vous assurer, dit-il, que, cette fois, les troupes
5 ennemies qui traverseraient le désert de Sahapouf trouveront à qui parler [2] lorsqu'elles déboucheront [3] dans la plaine de Pataburgie. Non seulement je vais concentrer toute l'armée sur la lisière [4] du désert, mais j'ai obtenu

La mort glorieuse du commandant Tripouf

IL REFUSA ÉNERGIQUEMENT D'ABANDONNER SON POSTE POUR MANGER UNE BÉCASSE CUITE DANS L'ARGILE ET MOURUT ÉTOUFFÉ DANS SA TRANCHÉE EN OUTRE
(D'après le tableau de Georges Spouf, Musée de Luffempouf)

des terrassiers [5] patapoufs, malgré leur horreur pour les
10 travaux de terrassement,[6] qu'ils veuillent bien [5] creuser, le long de cette lisière, des ouvrages de protection, appelés « tranchées », dont je dois la description à un jeune Sur-

---

[1] *was drawn up.*   [2] trouveront à qui parler, *will meet their match.*
[3] *emerge.*   [4] *edge.*   [5] j'ai obtenu des terrassiers . . . qu'ils veuillent
bien, *I have prevailed upon some ditchdiggers . . . to consent.*   [6] travaux
de terrassement, *excavating, digging.*

Tranchée patapouf

(ADDITION AU RÈGLEMENT
DE MANŒUVRE 1897)

facien de grande intelligence, qui est parmi nous en ce moment.

Tout le monde se tourna vers Edmond, qui rougit 5 d'émotion et de plaisir.

— La difficulté, continua le maréchal, est que ces « tranchées », telles que les creusent les Surfaciens, sont 10 trop étroites pour qu'un Patapouf normal s'y puisse tenir et que, d'autre part,[1] il est impossible de les faire beaucoup plus larges, sans leur enlever une grande part de leur valeur de protection. Mais 15 notre excellent inspecteur du génie,[2] le général Sapouf, a inventé un type de tranchée en forme d'outre,[3] qui, étroit au sommet et arrondi en ses flancs, résout le problème. Le seul inconvénient est qu'on ne peut y entrer qu'aux extrémités, ce qui rend les sorties en masse impossibles. Mais comme nous voulons faire une guerre purement défensive, cela n'a pas d'importance. Au contraire.

Le chancelier félicita vivement le maréchal et lui annonça que le roi le faisait prince de Sahapouf. Il ajouta que le jeune Surfacien auquel les Patapoufs devraient peut-

Tranchée filifer

(EXTRAIT DU RÈGLEMENT DE
MANŒUVRE AVRIL 1930,
MODIFIÉ MAI 1930)

[1] **d'autre part,** *on the other hand.*
[2] *engineering.*   [3] *goatskin bottle.*

être leur salut,[1] serait appelé désormais baron Edmond des Escaliers.

*

* *

Cependant Thierry, chez les Filifers, assistait au conseil de guerre, qui se tenait sous la présidence de M. Rugifer.

5 `— La séance est ouverte, dit M. Rugifer; la parole est au général Tactifer pour l'exposé de son plan de campagne.

— Messieurs, dit le général Tactifer, la guerre étant essentiellement un art de surprise, il ne saurait être question de reprendre, cette fois, le plan de campagne qui a si 10 bien réussi l'an dernier; il faut tenir compte de trois faits:

1º [2] Les Patapoufs n'ont plus de flotte. Ils n'ont pu reconstituer [3] celle qui fut détruite aux Aiguilles de Fer; donc, une invasion par mer ne sera pas sérieusement combattue.

15 2º Pour la même raison, nous n'avons pas à craindre d'être nous-mêmes envahis.

3º Les Patapoufs étant des esprits lents, préparent toujours la guerre précédente. Il est à peu près [4] certain qu'ils vont nous attendre à la lisière de Sahapouf.

20 Je propose donc: *a*) Qu'un corps expéditionnaire [5] occupe l'Ile de Filipouf, car il vaut toujours mieux tenir un gage.[6] *b*) Que notre armée principale soit transportée en un point de la côte aussi voisin [7] que possible de Pataburg, ville sur laquelle nous marcherons.

25 — Général, dit M. Rugifer, vous êtes un savant et un brave. Que vous faut-il? Le pays vous le donnera.

---

[1] *salvation.* [2] **1º** symbol for *primo* (Latin word for "first"); likewise **2º**, *secundo*; and **3º**, *tertio.* [3] *rebuild.* [4] **à peu près**, *almost.* [5] **corps expéditionnaire**, *expeditionary force.* [6] *security.* [7] *near.*

PIÈCES D'AUTOMOBILES DE
FABRICATION FILIFER

PIÈCES DE FABRI-
CATION PATAPOUF

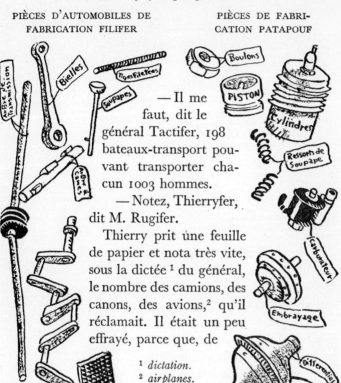

— Il me
faut, dit le
général Tactifer, 198
bateaux-transport pou-
vant transporter cha-
cun 1003 hommes.

— Notez, Thierryfer,
dit M. Rugifer.

Thierry prit une feuille
de papier et nota très vite,
sous la dictée [1] du général,
le nombre des camions, des
canons, des avions,[2] qu'il
réclamait. Il était un peu
effrayé, parce que, de

[1] *dictation.*
[2] *airplanes.*

*On remarquera par cet exemple que Filifers et Patapoufs ne pou-
vaient se passer l'un de l'autre pour quoi que ce soit. Aussi se
seraient-ils encore trouvés tous les deux, si la guerre avait duré
tant soit peu longtemps, dans une situation inextricable. Mais
ils n'y pensèrent qu'après, comme toujours.*

temps à autre, le général s'arrêtait pour lui poser [1] une question:

— A 32 hommes par camion, combien faut-il de camions pour transporter 198.594 hommes?

5   Et comme Thierry ne répondait pas immédiatement:

— Vous êtes un ignorant et un lambin,[2] lui dit M. Rugifer.

— Si jamais je retourne au lycée, pensait Thierry, je serai premier en calcul.[3]

*
* *

10   Quinze jours plus tard, le corps expéditionnaire des Filifers débarquait, avec un plein succès, sur la côte patapouf.

Thierry n'avait jamais vu la guerre, mais après cela il ne souhaita plus jamais la revoir. Il entendit, au-dessus de
15   sa tête, siffler [4] les obus qui faisaient whi-i-i-z! [5] . . . puis soudain éclataient: bang! [5] Il vit ses amis filifers coupés en deux par des éclats [6] d'acier (et pourtant ils étaient si minces qu'il y avait peu de prise [7]). Il entendit, le soir, au-dessus du camp, les avions qui respiraient [8] lourde-
20   ment: whra-ra . . . whra-ra [9] . . . Il les avait bien entendu jadis passer au-dessus de son jardin, mais, en ce temps-là, c'étaient des avions français que l'on avait plaisir à regarder; maintenant, quand il en voyait un, il savait qu'une minute plus tard il entendrait un long sifflement,
25   puis un bruit effroyable,[10] verrait une grande flamme, en-

---

[1] Note that **poser** is used in the expression *to ask a question.* [2] *poke, dawdler.* [3] *arithmetic.* [4] *whistle.* [5] **whizz! . . . bang!** Maurois seems to have borrowed these exclamations (onomatopœia) from the English. [6] *bits.* [7] **peu de prise,** *little to hold to, little to serve as a target.* [8] *throbbed.* [9] Another example of onomatopœia, imitating the throb of an airplane motor. [10] *frightful.*

suite il y aurait tout près un grand trou et, au fond, 40 ou 50 morts enfouis [1] sous la terre. [2]

Comme l'on avançait, il vit les villages détruits par l'artillerie, des femmes et des enfants blessés, des petits garçons qui avaient perdu leur papa et leur maman. Les 5 pauvres Patapoufs n'avaient pas une chance de pouvoir résister. Toutes leurs troupes étaient au nord, sur la frontière de Sahapouf, et attendaient dans leurs « tranchées en outre » un ennemi qui ne viendrait jamais.

Le maréchal Pouf essaya de ramener des hommes vers 10 le sud, le plus vite possible, mais ils avaient du mal à sortir des tranchées; les Patapoufs n'avaient jamais été bien rapides; les malheureux [3] régiments arrivaient un à un et ne servaient qu'à se faire tuer bravement. Au contraire l'armée des Filifers opérait avec une sûreté [4] merveilleuse 15 et en quinze jours elle fut devant Pataburg.

Le maréchal Pouf voulut livrer une dernière bataille sous les murs de la ville, et là fut fait prisonnier avec toute son armée. Ce fut un triste spectacle que de voir ce vieux guerrier tendre son épée, [5] en baissant la tête, au général 20 Tactifer. Celui-ci, malgré sa dureté, [6] fut si ému qu'il eut la pensée de faire servir à son collègue vaincu et qu'il voyait affamé [7] — car le maréchal n'avait pas mangé depuis plus d'une heure — un repas digne d'un Patapouf. Cependant, Thierry cherchait partout dans les rangs des 25 prisonniers son frère Edmond. Il ne le voyait pas.

—Mon Dieu! pensait-il, pourvu qu' [8] Edmond n'ait pas été tué.

---

[1] *buried.*   [2] For a moment Maurois puts aside his tone of bantering satire and in all seriousness gives us a glimpse of the devastations of war, as in 1930 he appeared to foresee the destruction of the Second World War.   [3] *unfortunate.*   [4] *sureness, efficiency.*
[5] tendre son épée, *surrender his sword.*   [6] *harshness.*   [7] *famished.*
[8] pourvu que, *if only.*

Le lendemain, l'armée du général Tactifer fit son entrée dans Pataburg. Cette ville si gaie avait un air de deuil.[1] Les pâtisseries elles-mêmes avaient été fermées. Les dames patas étaient vêtues de robes noires. A l'entrée du Palais 5 Royal, le chancelier de Vorapouf, pâle et ayant perdu quinze kilos en quinze jours, reçut le général Tactifer et son état-major. Derrière lui, Thierry, qui suivait à cheval les vainqueurs, aperçut Edmond qui pleurait. Il aurait voulu descendre pour le consoler, mais il montait très 10 mal[2] et pensa que s'il descendait, il ne pourrait plus remonter. Dès que la cérémonie fut terminée, il courut à son frère.

— Pourquoi as-tu l'air si malheureux? lui dit-il. Tu n'es pas un vrai Patapouf.

[1] *mourning.*　[2] **montait très mal,** *was a poor horseman.*

Reddition du maréchal Pouf

[86]

—Je sais bien, dit le baron Edmond des Escaliers, mais je me suis habitué[1] à eux.

Cette fois, les Filifers furent impitoyables.[2] Un télégramme du président Rugifer annonça les conditions de la paix. Le roi Obésapouf XXXII était déposé et tout le pays des Patapoufs, ainsi que[3] l'Ile de Filipouf, était annexé à la République des Filifers. 5

[1] **je me suis habitué,** *I have become accustomed.*   [2] *without mercy.*
[3] **ainsi que,** *as well as.*

CHAPITRE DIXIÈME

Les Filifers
chez
les Patapoufs

GRÂCE à Thierry, qui se donna beaucoup de mal [1] pour son frère (car il avait du cœur [2] malgré son air insensible [3]), celui-ci obtint un poste dans les bureaux du général Tactifer. Il avait d'abord refusé parce qu'il ne voulait pas abandonner ses amis patapoufs, mais ceux-ci eux-mêmes lui conseillèrent d'accepter. C'étaient des gens d'un caractère facile et résigné. Ils avaient été vaincus; ils n'essayaient plus maintenant que de sauver les coutumes de leur pays.

Au début, il leur fut très difficile de s'habituer aux manières de l'armée filiférienne d'occupation. Quand un colonel filifer vous convoquait à 8 heures 5 minutes, cela voulait dire pour lui 8 heures 5; pour un Patapouf, cela signifiait n'importe quelle heure [4] entre 8 heures et midi. Naturellement il n'était pas toujours facile de s'entendre.

Il y eut aussi de grandes difficultés au sujet des rations. Cette immense armée qu'il fallait nourrir rendait les vivres [5] assez rares et, au début, l'intendance [6] filiférienne voulut imposer aux Patapoufs la suppression des repas horaires. C'était, comme eût dit M. Rugifer, absurde et

---

[1] **se donna beaucoup de mal,** *went to a great deal of trouble.*   [2] **avait du cœur,** *was affectionate.*   [3] *indifferent.*   [4] **n'importe quelle heure,** *no matter what hour, any hour whatsoever.*   [5] *foodstuffs.* [6] *commissariat.*

impossible. Un Patapouf était un être doux, mais si on le privait de nourriture, il devenait féroce. Le général Tactifer comprit vite qu'il serait dangereux pour son armée de soulever une révolte générale dans un pays étranger.

Il y eut bien quelques Patapoufs qui, lâchement [1] et 5 pour tâcher d'obtenir des conquérants [2] une bonne place, entrèrent dans des maisons de régime [3] et se firent maigrir.[4] On vit dans les journaux des annonces [5]:

Mais ceux qui essayèrent de ces méthodes se rendirent malades. Quelques-uns en moururent, et ces dangers 10 étaient courus en vain, car un Patapouf maigre ne ressemblait en rien à un Filifer authentique. Sa peau retombait en plis [6] ridicules et il était justement méprisé [7] par tous les loyaux Patapoufs.

[1] *in a cowardly way, as cowards.*   [2] *conquerors.*   [3] **maisons de régime,** *establishments for dieting.*   [4] **se firent maigrir,** *reduced their weight.*   [5] *advertisements.*   [6] *folds.*   [7] *scorned.*

D'ailleurs, très vite, les événements prirent une tournure imprévue.[1] Les officiers et les soldats filifers, logés chez l'habitant,[2] trouvèrent la cuisine patapouvienne excellente. Thierry, qui mangeait à la table du général Tactifer,
5 vit peu à peu l'ordinaire [3] s'améliorer. « Il faut bien, disait le général, étudier les mœurs d'un peuple vaincu et que je dois administrer. » La vérité était qu'il prenait goût [4] à une nourriture plus agréable. Edmond rit beaucoup un jour où, son frère (qui lui vantait toujours l'austérité des
10 Filifers) l'ayant invité, il vit paraître dans cette maison ennemie le propre maître-d'hôtel de M. de Vorapouf et le menu classique [5] :

HUÎTRES DE MARAPOUF

CAVIAR DE LA POUVE

HOMARD À LA PATABURG

SOLES PATAPOUFS

. . . .

. . . .

Le roi Obésapouf, bien qu'il eût été détrôné, exerçait une certaine influence sur le général Tactifer, qui allait
15 souvent le consulter. « C'est un homme comme tout le monde, disait le général, mais il est raisonnable et de bon conseil. » Le roi savait admirablement, sans jamais compromettre [6] sa dignité de Patapouf, dire au général des choses aimables et qui le touchaient.

---

¹ **tournure imprévue,** *unexpected turn.* ² **logés chez l'habitant,** *billeted in the homes.* ³ *daily fare.* ⁴ **prenait goût,** *was acquiring a taste.* ⁵ *standard.* ⁶ **sans ... compromettre,** *without ... compromising.*

Émeute de Raloucoum-sur-Pouve

—Je me garderais bien, général, disait-il, de [1] comparer
vos qualités militaires avec celles du vaillant maréchal
Pouf, qui était un vieux serviteur de ma couronne [2] et que
j'aime tendrement; vous représentez deux types d'hommes
différents et également estimables, mais si j'avais eu à la ⁵
tête de mes armées un organisateur tel que vous, qui sait
si je ne règnerais pas encore aujourd'hui sur les Patapoufs?
Qui sait si seul le général Tactifer ne pouvait pas vaincre
le général Tactifer?

—Le roi Obésapouf est très intelligent, disait à Thierry, ₁₀
en sortant, le général Tactifer.

Il se montrait de plus en plus indulgent à l'égard des [3]
Patapoufs. En même temps Thierry remarquait combien
les mœurs de l'armée des Filifers devenaient plus douces et
plus paresseuses. Beaucoup de soldats filifers épousaient ₁₅

---

¹ **Je me garderais bien ... de,** *I should take good care ... not to.*
² *crown.*   ³ **à l'égard de,** *in regard to.*

des jeunes filles patapoufs. L'armée revint à Filigrad avec des sentiments d'amitié sincère pour la nouvelle province.

*
* *

Thierry fut très étonné par l'état de la République des Filifers au moment du retour de l'armée. Habitudes, idées,
5 conversations, tout lui semblait différent de ce qu'il avait connu quelques semaines plus tôt. Il avait amené son frère chez le professeur Dulcifer et celui-ci avait accepté, contre paiement,[1] de les loger [2] tous deux; mais cette maison d'un vrai Filifer était à peine reconnaissable.[3]
10 Thierry, le premier jour, avait recommandé à Edmond d'être exact et de se trouver dans la salle à manger au premier coup de 8 heures. Or, fait presque incroyable, les enfants Dulcifer n'y étaient pas; M. Dulcifer pianota impatiemment sur la nappe (et cela rappela à Thierry et à

[1] **contre paiement,** *for pay.*   [2] *house.*   [3] *recognizable.*

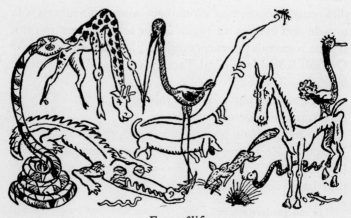

Faune filifer

Edmond leur papa. Où était-il maintenant, leur pauvre papa?), puis, après un soupir, il murmura la phrase consacrée [1] : « Il faut manger pour vivre et non pas vivre pour manger », et commença son repas.

Les petits Dulcifer n'arrivèrent que sept minutes plus tard, au moment où leur père achevait de déjeuner. [5]

— Où étiez-vous? dit M. Dulcifer, d'une voix terrible.

— Dans notre chambre, dirent les enfants avec calme et sans même s'excuser.

— Comment! dit M. Dulcifer furieux, vous avez l'audace d'arriver sept minutes en retard, alors que [2] vous avez entendu sonner 8 heures? [10]

— Peuh! dirent les petits Dulcifer. A Pataburg, on ne fait pas tant d'histoires. [3]

Ce n'était qu'un petit incident; mais dans toutes les familles se passaient des faits du même genre. La vérité était que beaucoup de Filifers avaient appris, pendant la [15]

---

[1] *time-honored.*　　[2] alors que, *when.*　　[3] on ne fait pas tant d'histoires, *people don't make such a fuss.*

Faune patapouf

guerre, qu'il existait une façon de vivre plus douce. Les
femmes des soldats, alléchées [1] par les récits de leurs maris,
demandaient qu'on fît une loi pour autoriser l'ouverture
de pâtisseries. Les enfants des collèges [2] réclamaient le droit
5 pour les concierges de vendre des gâteaux et des bonbons,[3]
comme cela se faisait dans les collèges de Patapouf. Les
soldats dans les casernes [4] voulaient se lever à 8 heures,
comme les soldats patapoufs.

— Ces mœurs d'après-guerre [5] sont abominables, di-
10 sait M. Dulcifer, et d'autant plus [6] dangereuses que le
moment approche où nous allons prendre une décision de
laquelle dépend tout l'avenir de notre pays. Vous savez
que nous avons annexé le Royaume des Patapoufs et l'Ile
de Filipouf?

15 — Oui, dit Thierry.

— Ce n'est pas malheureux, dit M. Dulcifer. Mais les
Patapoufs seront-ils considérés comme des sujets ou comme
des citoyens? Voteront-ils comme les Filifers? Feront-ils
les lois comme les Filifers? Vous comprenez bien que si
20 nous les autorisons à voter, comme ils sont aussi nombreux
que nous, ils vont introduire dans ce pays leurs gourman-
dises,[7] leur obésité, leur Obésapouf et toutes leurs détesta-
bles coutumes!

M. Dulcifer à cette pensée, maigrissait à vue d'œil [8] et
25 tordait [9] ses longues mains osseuses.

— Leur obésité et leur Obésapouf! répéta-t-il. C'est
abominable!

Mais, comme il était 8 heures 7, il sortit.

— Eh bien! moi, dit Edmond à Thierry, j'espère qu'on

---

[1] *allured.* [2] *secondary schools* (covering same field as the **lycées**,
but maintained largely by the municipality). [3] *candy.* [4] *barracks.*
[5] **d'après-guerre,** *post-war.* [6] **d'autant plus,** *all the more.* [7] *good
food, delicacies.* [8] **à vue d'œil,** *visibly.* [9] *twisted.*

[94]

va permettre aux Patapoufs de voter. Il n'est que temps [1]
de changer les mœurs de ce sale [2] pays.

— Pourquoi? dit Thierry, qui avait des instincts filifers.

— Parce que je meurs de faim, moi, ici. Deux repas par
jour . . . Regarde, je flotte déjà dans mes vêtements.[3]   5

C'était malheureusement vrai. Thierry, assez inquiet
pour son frère, osa, le lendemain, quand il alla travailler
au Ministère, interroger timidement M. Rugifer sur
l'avenir.

— Comment? dit M. Rugifer. Qu'est-ce que c'est? Vous 10
êtes un indiscret et un curieux.

— M. le président, dit Thierry, qui maintenant n'avait
plus peur de lui, c'est à cause de mon frère. Vous comprenez, tout en étant Surfacien, il est . . .

Il hésita.   15

— Il est quoi? dit M. Rugifer.

— Il est un peu patapouf,[4] et, chez vous, il souffre de la
faim, alors . . .

Il raconta leur conversation avec M. Dulcifer.

— Dulcifer, dit enfin M. Rugifer, est un maladroit [5] 20
et un lâche.[6] Quand on est sûr de son pays comme je le
suis, on n'a pas peur d'y donner la liberté à tout le monde.
Je ne peux encore rien vous dire, mais vous avez vu
Rugifer dans la guerre, il vous reste [7] à voir Rugifer dans
la paix.   25

Il n'en dit pas plus, mais cela suffit à Thierry pour comprendre que l'influence de Madame Rugifer se faisait sentir et que le président était favorable aux Patapoufs.

---

[1] **Il n'est que temps,** *It is high time.*   [2] *rotten* (slang).   [3] **je
flotte . . . dans mes vêtements,** *I float . . . in my clothes,* i.e., *my clothes
hang on me.*   [4] **un peu patapouf,** *somewhat of a Patapouf.*   [5] *clumsy
person.*   [6] *coward.*   [7] **reste** is used impersonally here.

CHAPITRE ONZIÈME

Patapoufs chez Filifers

Un autobus mixte

L A VEILLE du plébiscite, M. Rugifer prononça, sur la Place des Jeûneurs,[1] un grand discours qui fut transmis [2] par les postes de radiophonie [3] jusqu'aux villages les plus maigres du pays:

5 — Patapoufs et Filifers, disait-il, ne doivent plus former qu'une nation. Pourquoi maintenir ces distinctions barbares de poids et de tour de taille? Vérité en deçà [4] de 50 kilos, erreur en delà? [5] Telle est votre politique? [6] Ce

---

[1] **Place des Jeûneurs,** *Fasters' Square.* [2] *broadcasted.* [3] **postes de radiophonie,** *radio stations.* [4] **en deçà,** *on this side.* [5] **en delà,** *beyond.* This is an imitation of the famous phrase by Pascal, seventeenth-century philosopher: "Vérité au deçà des Pyrénées, erreur au delà" (*Les Pensées*, Art. III), which illustrates his idea that men do not possess absolute justice or truth, and so set up for themselves certain unstable usages, which vary with countries and periods of history. [6] *policy,* i.e., *the basis for your policy.*

n'est pas la mienne. Voyez les Surfaciens! Ne trouvez-vous pas chez eux des parlements de Filifers présidés par un Patapouf; des maris patapoufs heureux avec une femme filifer? Imitons-les. Fondons cette puissance nouvelle qui sera invincible, parce qu'elle sera toute seule: « Les États-Unis du Sous-Sol ».

L'enthousiasme avec lequel ce discours fut accueilli prouva que beaucoup de Filifers partageaient les sentiments de M. Rugifer.

Pourtant, le professeur Dulcifer avait été autorisé à répondre et son discours fut également transmis par tous les appareils [1]:

—Je n'ai pas de haine pour les Patapoufs, dit-il (« Ce n'est pas vrai », dit Edmond à Thierry), mais rien ne me semble plus malsain [2] que de mêler des populations de poids différents. Les Filifers ont été forts par leur maigreur. Si nous y renonçons, nous ne pouvons savoir ce que sera l'avenir.

—Il a tout de même un peu raison, dit Thierry à son frère.

Et tous deux se disputèrent, comme ils faisaient jadis en Surface.

Le lendemain on apprit que le parti des Patapoufs l'emportait.[3] Dans les campagnes on avait beaucoup voté pour Dulcifer, mais à Filigrad, Rugifer triomphait.

Edmond et Thierry s'amusèrent énormément pendant les semaines qui suivirent. Les passeports et toutes les formalités de pesage avaient été supprimés. Les Patapoufs pouvaient maintenant traverser librement la Mer Jaune. On les voyait arriver à Filigrad par centaines. Ils apportaient avec eux un air de gaieté et de bonne humeur. Comme ils étaient autorisés à conserver leurs anciennes

---

[1] *radio stations.*   [2] *unwholesome.*   [3] **l'emportait,** *won out.*

coutumes, des restaurants spéciaux, des pâtisseries même, s'ouvraient pour leur servir leurs repas horaires. Au commencement, les vieux Filifers virent ces nouveautés [1] avec tant d'horreur qu'on créa dans la capitale un quartier patapouf où devait vivre toute personne pesant plus de cinquante kilos. Mais le succès de ce quartier devint en lui-même un danger.

Les deux frères Double quittèrent la maison de M. Dulcifer et louèrent [2] ensemble un petit

[1] *innovations.*
[2] *rented.*

Le nouveau quartier mixte de Pataburg

CETTE ARCHITECTURE QUI CONNUT UN SUCCÈS CONSIDÉRABLE LORS DE L'EXPOSITION DE 1931, REÇUT LE NOM DE « STYLE LAMPE-À-PÉTROLE »

appartement dans le quartier patapouf. Le soir, beaucoup de Filifers invitaient leurs amis à passer la soirée chez les Patapoufs. Des instituts d'obésité s'étaient créés et des médecins garantissaient: « un kilo par semaine; un Pata- pouf en trois mois ». La mode chez les Filifériennes était maintenant de grossir[1]; celles qui n'y arrivaient pas[2] met- taient des robes énormes, que soutenaient des paniers d'osier.[3] Dans les théâtres, on donnait des scènes pata- pouviennes. Cette fureur[4] fut à son comble[5] quand, trois mois après le plébiscite, l'ex-roi Obésapouf vint à Fili- grad.

Il voyageait comme un simple citoyen, mais les Filifers furent si contents de voir un roi, et surtout un roi si gros,

---

[1] *to gain weight.*   [2] **n'arrivaient pas,** *did not succeed.*   [3] **paniers d'osier,** *wicker hoops.*   [4] *passion, vogue.*   [5] *height.*

Le chef d'orchestre Gros-René Bathouf

QUI FUT LE PREMIER À RÉALISER UN ORCHESTRE COMPLET, COMPORTANT DES INSTRUMENTS DE TOUTES TAILLES

[99]

qu'ils le traitèrent en souverain. A l'opéra, quand il entra, le public réclama l'Hymne Obèse de Grabski-Korsapouf; M. Rugifer et le roi se montrèrent ensemble dans une avant-scène [1] et furent acclamés.

5   Les vieux Filifers étaient inquiets. Ils avaient raison de l'être, car, lorsque le mois suivant, une élection générale eut lieu dans les deux pays pour nommer les députés, elle donna la majorité aux Patapoufs. Le président de la Chambre fut un Patapouf. Partout, dans les administra-
10 tions,[2] dans les industries privées,[3] on voyait des Patapoufs arriver aux meilleurs postes. Au début, les Filifers s'étaient moqués de leur lenteur, de leur paresse,[4] de leur inexacti-tude; maintenant, dans de nombreux cas, et surtout pour commander des hommes, les Patapoufs étaient préférés
15 aux Filifers, à cause de leur meilleure humeur, de leur force de résistance et de la solidité de leurs nerfs. Même au Ministère de l'Amaigrissement, Thierry vit son frère Edmond qu'il y avait fait entrer,[5] devenir premier secré-taire, alors que lui-même restait deuxième secrétaire.

20   Un matin, Thierry osa une fois encore interroger le président Rugifer.

    —Et comment allez-vous faire maintenant, Monsieur le président? dit-il.

    —Pourquoi? dit M. Rugifer.

25   —Pour gouverner ce pays qui devient plus patapouf qu'Obésapouf? [6]

    M. Rugifer tira gaiement l'oreille de Thierry.

    —Ah! ah! dit-il en riant. Vous êtes un naïf et un en-fant.

[1] *stage box.*   [2] *government offices.*   [3] **industries privées,** *private industry.*   [4] *laziness.*   [5] **qu'il y avait fait entrer,** *for whom he had got a position there.*   [6] **qui devient plus patapouf qu'Obésapouf,** *which is becoming more Patapouvian than is Obésapouf himself.*

Le lendemain matin, des affiches blanches, surmontées des drapeaux croisés de Patapouf et Filifer, annoncèrent au pays:

1º Que le roi Obésapouf restauré devenait roi des Royaumes-Unis de Patapouf et Filifer.

2º Que le Ministère de l'Amaigrissement était supprimé et que le président Rugifer devenait chancelier des Royaumes-Unis.

3º Que le roi Obésapouf n'aurait aucun pouvoir et que la constitution des Filifers demeurait intacte.

*

* *

La nouvelle fut en général bien accueillie. Pour compléter la réconciliation générale, il fut décidé que les fêtes du couronnement [1] auraient lieu dans l'Ile, cause de tant de malheurs.

Mais il restait à résoudre un problème que personne n'osait soulever, tant il était grave: quel nom porterait désormais cette île? Les Filifers vainqueurs ne pouvaient la nommer Patafer. Le roi ne pouvait, sans honte,[2] accepter ce nom de Filipouf, si longtemps repoussé par ses ancêtres et détesté par la moitié de ses sujets. Le chancelier Rugifer, à toutes les questions, répondait:

— On peut s'en rapporter au [3] tact de Sa Majesté.

Le yacht royal partit pour le couronnement sans que la question eût été posée. Dans les documents officiels on s'était soigneusement [4] gardé de nommer l'Ile. Quand le souverain y aborda, elle était couverte de pêchers [5] en fleurs dont les grandes vagues rosées [6] inondaient [7] les

[1] *coronation.*   [2] *shame.*   [3] **s'en rapporter à,** *rely on.*   [4] *carefully.*
[5] *peach trees.*   [6] *rosy, pink.*   [7] *inundated, covered.*

pentes des collines.[1] Le roi regarda longtemps ce paysage
de ses gros yeux à demi endormis. A côté de lui, le chancelier et les ministres attendaient qu'il parlât:

— Et si on l'appelait l'Ile Rose? dit-il doucement.

5 — Sire, dit le chancelier Rugifer, je n'y avais jamais
pensé. Je suis un imbécile et un coupable.

---

[1] *hills.*

CHAPITRE DOUZIÈME

Le Retour

Peu de temps après les fêtes du couronnement, les deux secrétaires du chancelier Rugifer lui demandèrent la permission de retourner en Surface. Ils n'étaient pas mal traités, loin de là [1]; mais ils avaient envie de revoir leurs parents et ils pensaient que ceux-ci devaient les croire morts ou perdus dans la forêt. Peut-être avait-on envoyé dans toute la France des gendarmes [2] à leur recherche.[3] Il fallait rentrer. Longtemps ils avaient hésité à partir parce qu'ils se sentaient utiles pour l'union des Patapoufs et des Filifers. Il était certainement excellent que deux frères appartenant par l'adoption aux deux pays fussent mêlés aux affaires; mais maintenant tout allait bien. Le roi Obésapouf et son chancelier s'entendaient à merveille. Edmond et Thierry pouvaient partir sans scrupules.

Le chancelier Rugifer lui-même le comprit. Il leur dit bien en leur pinçant [4] l'oreille: « Messieurs Double, vous êtes des ingrats et des lâcheurs! [5] », mais il donna l'ordre de préparer leurs passeports. Même il eut la gentillesse [6] de les autoriser à aller faire un dernier voyage à Pataburg et de s'embarquer à Pataport. Ainsi, avant de quitter les Royaumes Souterrains, ils jetteraient un dernier coup d'œil [7] sur les pays qu'ils avaient découverts.

[1] loin de là, *far from it.* [2] *policemen.* [3] à leur recherche, *in search of them.* [4] *pinching.* [5] *quitters.* [6] *graciousness.* [7] coup d'œil, *glance.*

Voici comment étaient faits les passeports:

ROYAUMES UNIS DU SOUS-SOL
PASSEPORT
pour tous les pays de Surface
y compris le métropolitain
M.. est autorisé à passer
aux pays de surface du.........19....... au...............19.....

PHOTOGRAPHIE
DU TITULAIRE.
(UTILISER LE POINTILLÉ
POUR LES PATAPOUFS, LES
TIRETS POUR LES FILIFERS)

Signature du
chancelier:

Signature du
Titulaire:

DESCRIPTION DU TITULAIRE:
PATAPOUF: FILIFER:
Poids:.........................   Hauteur:
Tour de Taille:...............   Largeur des Épaules:...........
Nombre de mentons:.....   Hauteur du Cou:...............
cheveux:.....................   cheveux:
Nez :...........................   Nez
Teint :.......................   Teint :..........................

Le voyage à Pataburg fut très intéressant. Le roi Obésapouf y avait conservé son palais et il résidait maintenant
six mois par an dans chacune des deux capitales. Les
familles patas ne lui avaient pas pardonné ce qu'elles
5 appelaient sa trahison.[1] Le professeur Rampata présidait
maintenant un parti « pata pur » qui voulait rétablir [2] la
monarchie absolue et pour cela gagner [3] le fils du souverain. Le professeur rêvait de faire couronner le jeune
homme sous le nom de Superobésa II.

10 Mais après quelques conversations, Edmond et Thierry
comprirent que la grande majorité des Patapoufs était
satisfaite du nouveau régime. On leur avait laissé leurs
repas et leurs siestes horaires. Leur ballons flottaient
joyeusement dans les airs. Ils étaient heureux. Edmond,
15 qui rendit visite à son vieil ami, l'ex-chancelier de Vorapouf, le trouva paisible [4] et serein dans une belle retraite
campagnarde.[5]

M. de Vorapouf fit reconduire les deux jeunes Surfaciens jusqu'à Pataport dans son automobile-ballon. Les

[1] *treason, betrayal.*   [2] *restore.*   [3] *win over.*   [4] *peaceful.*   [5] *country.*

ruines de la guerre étaient partout réparées. La lumière
des ballons faisait briller les coupoles dorées du grand
port. La traversée fut délicieuse.

A Surface-sur-Mer, Thierry demanda à un douanier [1]:

— Les Escaliers de Surface, s'il vous plaît?   5

— Vous avez des passeports?

— Les voici.

L'homme regarda longuement les passeports, puis dit:

— C'est bon! Je vais vous conduire.

Il leur fit faire le tour de [2] la gare par laquelle ils étaient 10
arrivés au temps de leur descente. Là s'ouvrait une voûte
semblable à celle d'un tunnel et fermée par un rideau de
fer.[3] Le douanier appuya sur un bouton; le rideau monta;
un employé parut; on entendit un bruit de machine et les
deux frères virent devant eux un escalier semblable à celui 15
qui les avait amenés.

[1] *customs officer.* [2] **leur fit faire le tour de,** *had them visit.* [3] **rideau
de fer,** *metal drop* (such as is used in store windows in France when
shops are closed).

Un mariage patapouvo-filiférien

L'employé s'approcha d'un guichet[1] et cria:

— Deux Surfaciens. Deux.

Il n'osait plus maintenant ajouter, comme jadis: « Un
Pata. Un Fili. » Les distinctions de poids[2] avaient été
5 abolies dans tous les états du Sous-Sol.

La montée[3] parut sans fin. Les cœurs des deux garçons
battaient très fort. Comment allaient-ils retrouver leurs
parents? Et comment rentrer de Fontainebleau à Paris?
En France, il faut de l'argent pour voyager. Enfin, ils
10 aperçurent au-dessus d'eux, très haut, une lumière
blanche qui peu à peu grandit et éclaira tout le tunnel.
C'était la Surface.

Ils coururent comme des fous à travers la grande caverne qu'éclairaient des globes électriques et se retrou-
15 vèrent au pied de la Roche Jumelle. Soudain, à leur
grande surprise, ils entendirent très distinctement:

— Hou! hou! HOU! hou!

C'était la voix de leur père.

Sans s'être concertés,[4] ils répondirent ensemble de toutes
20 leurs forces:

— Hou! Hou! HOU! hou!

Ils ne purent jamais dire comment ils avaient fait l'ascension de la cheminée que formaient les deux blocs de la
Roche Jumelle. Ils montèrent avec le dos, avec les mains,
25 avec les pieds, l'un poussant l'autre, l'un tirant l'autre,
essoufflés,[5] époumonés,[6] mais ravis. Dix secondes plus tard,
leurs deux têtes apparaissaient au-dessus du rocher et ils
virent au pied de celui-ci leur père qui, un peu impatient
mais pourtant calme, leur dit:

30 — Ah! vous voici enfin! Je commençais à être inquiet.

---

[1] *ticket window.*   [2] **distinctions de poids,** *discriminations based on
weight.*   [3] *ascent.*   [4] **Sans s'être concertés,** *Without having consulted
each other,* i.e., *Spontaneously.*   [5] *out of breath.*   [6] *puffing.*

Naissance de deux jumeaux dans un ménage filiféro-patapouvien

— Mais papa, dit Thierry, vous nous avez attendus dix mois?

— Non, dit M. Double, en riant, pas dix mois, mais au moins une heure.

Car le temps, dans les Royaumes du Sous-Sol qui n'ont 5 ni soleil, ni lune, marche sept mille fois plus vite qu'en Surface.

QUESTIONS

Chapitre I

1. Quels étaient les membres de la famille Double? 2. Quelles différences voit-on tout de suite entre M. Double et Thierry d'un côté et Mme Double et Edmond de l'autre? 3. Quel âge chacun des garçons avait-il? 4. Citez certaines phrases employées souvent par les deux frères qui indiquent leur étroite amitié. 5. A quel moment de la journée le père, la mère et les deux fils ne s'entendaient-ils pas complètement? 6. Lequel des deux frères attachait une grande importance aux repas? 7. Qu'est supposé avoir fait celui-ci lorsqu'il n'était qu'un bébé de huit mois? 8. Qu'est-ce qu'Edmond risquait de devenir s'il continuait de manger autant qu'il voulait? 9. De quoi Mme Double avait-elle peur elle-même? 10. Quelle grande récompense M. Double accordait-il parfois à ses fils? 11. Les deux frères qu'avaient-ils la permission de faire pendant une heure, alors que leur père lisait? 12. Quel était le cri de ralliement de la famille Double? De quelle façon particulière poussaient-ils ce cri? 13. Décrivez la Roche Jumelle. 14. Comment fallait-il faire pour y monter? 15. Comment Edmond comprit-il que son frère grimpait plus vite que lui? 16. Quand il arriva au sommet du rocher, où aperçut-il son frère? 17. Lorsque Thierry descendit entre les deux rochers, que vit-il? 18. Comment fallait-il faire pour descendre dans l'abîme? 19. Pourquoi ne se faisait-on pas mal en tombant à travers l'ouverture jusqu'au fond du trou? 20. Décrivez le spectacle surprenant qui s'ouvrit devant les deux garçons. 21. Qu'y avait-il dans le tunnel? 22. Quel cri Thierry et Edmond entendirent-ils au moment où ils mettaient le pied sur la première marche de l'escalier?

Chapitre II

1. Combien de temps dura la descente? 2. Comment savait-on que l'on approchait de la fin du tunnel? 3. Décrivez les deux soldats qui se trouvaient au pied de l'escalier. 4. Que cria le soldat maigre et quelle fut la réponse du gros? 5. Que dit un gros homme en s'approchant d'Edmond? 6. Que lisait-on sur d'énormes écriteaux? 7. Où les frères se trouvèrent-ils après avoir traversé une porte? 8. Décrivez la lumière qui éclairait le paysage. 9. Que voyaient les garçons devant eux? 10. Décrivez les deux bateaux. Pour cela, servez-vous des illustrations à la page 13, aussi bien que du texte. 11. Comment pouvait-on savoir que la mer était toute petite? 12. Que lisait-on à l'entrée de la passerelle du gros bateau à roues? 13. Pourquoi Edmond fut-il accepté dans ce bateau, alors que son frère ne le fut pas? 14. Décrivez l'entrée de Thierry dans l'autre bateau. 15. Qu'entendit-il au moment où le bateau d'Edmond s'éloignait à toute vitesse? 16. Quel signe d'adieu Thierry reçut-il d'Edmond? 17. Comment y répondit-il? 18. Relevez dans ces deux premiers chapitres des indications qu'Edmond était timide et que Thierry avait l'esprit fort.

Chapitre III

1. Quelles traversées Thierry avait-il déjà faites? 2. Quelle grande différence y avait-il entre ce bateau-ci et tous les autres qu'il avait connus? 3. Pourquoi Thierry ne souffrit-il pas du mal de mer pendant ce voyage? 4. Quels objets pouvait-on acheter aux nombreux marchands qui circulaient sur le pont? 5. Qu'est-ce que Thierry espérait en vain pouvoir acheter? 6. Parlez des diverses activités auxquelles les hommes se livraient dans le salon. 7. De quoi se rappelait le jeune Surfacien en regardant ce spectacle? 8. Parlez en détail du surprenant fait qui attira vivement l'attention de Thierry. 9. Pourquoi Thierry savait-il qu'il n'était ni en Angleterre, ni en Amérique, ni en Allemagne? 10. Énumérez les principales

choses que vous voyez sur la carte qui se trouve à la page 19 (villes, rivières, montagnes, îles, etc.). 11. Décrivez le professeur filifer. Quels étaient au juste ses titres? 12. Que trouvait-il à blâmer chez les Surfaciens? 13. Quelle semble être le trait caractéristique des Patapoufs? des Filifers? 14. Répétez les deux premières questions de la leçon de géographie, avec leurs réponses. 15. Comment se nomme l'escalier par lequel les garçons étaient descendus aux pays du Sous-Sol? 16. Quelle ville les escaliers desservaient-ils? 17. Quelle barrière terrestre sépare les pays des Filifers et des Patapoufs? 18. Décrivez le golfe qui se trouve entre les deux pays. 19. Qu'est-ce qu'il y a au centre de ce golfe?

Chapitre IV

1. Énumérez les diverses causes de la tristesse d'Edmond. 2. Pourquoi n'eut-il pas le mal de mer? 3. Faites une description des différentes sortes de fauteuils qu'Edmond aperçut sur le pont. 4. A quoi les marins et le capitaine s'occupaient-ils pendant la traversée? 5. Qu'est-ce qui semblait extraordinaire à Edmond chez tous ces gens? 6. Que dit une grosse dame à Edmond qui le fâcha beaucoup? 7. Faites un portrait à la plume du chancelier Vorapouf. 8. Expliquez les deux sens du mot *carte* et le malentendu qui en résulta à ce point de l'histoire. 9. En quel point différaient les cartes géographiques qui étaient affichées dans les deux bateaux? 10. Comment le chancelier s'occupait-il pendant qu'Edmond lisait dans l'*Histoire des Patapoufs?* 11. Qu'apprenez-vous sur ce livre d'histoire par sa couverture (auteurs, date de publication, prix, emploi) ? 12. Dites comment Edmond était installé pour sa lecture. 13. Qu'apprend-on au début du premier chapitre de l'*Histoire* sur les Poufs? sur les Patas? 14. Quels traits caractérisaient la nouvelle race qui s'était formée du mélange des Poufs et des Patas? 15. Parlez du roi Obésapouf Ier. 16. Qu'est-ce que le gros marin apporta de nouveau à manger à Edmond? 17. Dans quelles circonstances le roi des Patapoufs mourut-il en 1923?

18. Qui succéda à ce roi? 19. Quelles preuves l'auteur donne-t-il de l'extraordinaire bienveillance du roi actuel des Patapoufs? 20. Avec quelle nourriture le gros marin se fortifiait-il pendant qu'il parlait des Filifers avec Edmond? 21. Décrivez les Filifers comme le marin les décrivit à Edmond. 22. Pourquoi les considérait-il méchants? 23. Quelles lois tâchèrent-ils d'imposer aux habitants de l'île? 24. Expliquez le nom qu'on a donné à la guerre entre les deux pays. 25. Comment se fait-il que le maréchal Pouf ait pu faire une entrée triomphale à Filigrad? 26. Comment le général Tactifer a-t-il pu à son tour entrer victorieusement dans Pataburg? 27. Répétez les termes de l'armistice qui fût signé par les deux chefs. 28. Comment les Patapoufs firent-ils honneur à leur roi et au maréchal Pouf pour récompenser les grands services rendus par ceux-ci à la patrie?

Chapitre V

1. Qu'est-ce qu'on apprend sur l'*Histoire des Filifers* par la couverture du livre? 2. Selon M. Dulcifer comment étaient les Patapoufs? 3. En quels points le récit de M. Dulcifer différait-il de celui du marin patapouvien sur l'origine de la Guerre des Enfermés? (Voir le chapitre précédent.) 4. Quel plan de campagne le général Tactifer étudiait-il depuis longtemps? 5. Comment mit-il en pratique ce plan? 6. Qu'est-ce qui arriva, selon les Filifers, à la flotte des Patapoufs? Qu'en disaient pourtant les Patapoufs? (Voir le chapitre précédent.) 7. Pourquoi l'armée des Filifers ne pouvait-elle pas quitter Pataburg? 8. Où le général Tactifer se retira-t-il après son retour triomphal? 9. Décrivez la ville de Filiport comme Thierry la vit à son arrivée. 10. Par quelles formalités devait-on passer à la douane? Pourquoi Thierry n'eut-il aucune difficulté à ce sujet? 11. Pourquoi un train filifer est-il extrêmement étroit? 12. Qui aurait été heureux de voir un de ces trains extraordinaires? Pourquoi? 13. Comment étaient les maisons de campagne filifériennes?

Chapitre VI

1. Faites une description détaillée des maisons de Pataport.
2. Quelle était la seule formalité par laquelle il fallait passer à la douane? 3. Quelles choses ravirent Edmond dès son arrivée?
4. Pourquoi n'en pouvait-il cependant pas profiter? 5. Comment était ce train qui fit pousser des cris de joie à Edmond?
6. Quels plats figuraient sur le menu qu'un maître-d'hôtel présenta à Edmond? 7. Décrivez la campagne à travers laquelle passait le train. Décrivez aussi les abords de Pataburg.
8. Quelles pensées tristes assiégeaient Edmond au milieu de sa joie? 9. Quels traits de caractère remarqua-t-il chez les Patapoufs? 10. Que comprenez-vous par « les repas et les sommeils horaires » des Patapoufs? 11. Comment savez-vous que les Patapoufs étaient vraiment pacifiques de nature? 12. Dites tout ce que l'on voit sur la Place de la Bourse à Pataburg. (Voir l'image à la page 47.) 13. Quelle fut la cause de la guerre entre les deux pays? 14. Quand et où allait-on avoir une conférence sur ce sujet? 15. Quelles avantages se rattachaient au poste de secrétaire du prince de Vorapouf? 16. Qu'est-ce qui frappa Edmond le plus quand il fut devant le roi? 17. De quoi Sa Majesté parla-t-elle avec Edmond? 18. Comment était le maréchal Pouf physiquement? 19. D'après les images aux pages 42 et 43, quels étaient les mets favoris des Filifers? des Patapoufs?
20. Décrivez la cérémonie du champagne. 21. Pourquoi les tranchées n'étaient-elles pas pratiques pour les Patapoufs?
22. Quels personnages patapouviens furent nommés comme délégués à la conférence? 23. Pourquoi le professeur Rampata avait-il été choisi comme délégué? Pourquoi ce choix fut-il généralment regretté à Pataburg? 24. Comment étaient les « Patas purs »?

Chapitre VII

1. D'après l'image en haut de la page 55, à quelle heure un Filifer se couchait-il et à quelle heure se levait-il? Aimeriez-vous ce système pour vous faire réveiller? Expliquez-le! 2. Quelles

indications trouve-t-on, tout au début du chapitre, que les Filifers travaillaient plus que les gens de Surface? 3. En regardant l'image en haut de la page 57, décrivez la chambre à coucher d'un Patapouf. 4. Parlez de l'exactitude des Filifers à tenir leurs rendez-vous. 5. Dites tout ce que vous apprenez ici sur les repas filifériens. 6. Relevez dans le texte deux exemples qui prouvent que les Filifers méprisaient le confort. 7. Parlez des industries des Filifers: de celles qu'ils exploitaient et de celles qu'ils évitaient. 8. Quelle différence y a-t-il entre les services téléphoniques ici et en Surface? 9. Donnez plusieurs preuves de ce que les Filifers avaient mauvais caractère. 10. Pourquoi M. Dulcifer ne pouvait-il pas envoyer Thierry à l'école avec ses propres enfants? 11. Comment M. Dulcifer proposa-t-il que Thierry gagnât sa pension? Thierry aimait-il cette idée? Était-ce à lui de choisir? 12. Dépeignez les salles d'attente filifères et celles des Patapoufs, en regardant bien les illustrations des pages 60 et 61. 13. Chez qui Thierry allait-il être secrétaire? 14. Énumérez les titres de ce nouveau maître de Thierry. Pourquoi M. Dulcifer le considérait-il un grand homme? 15. Pour quelle heure Thierry fut-il convoqué chez M. Rugifer? 16. Que pensait M. Dulcifer de la valeur du temps? 17. Racontez la réception que les huissiers de M. Rugifer firent à Thierry. 18. Par quels termes peu flatteurs M. Rugifer accueillit-il Thierry? 19. En quoi se composait le travail de Thierry chez le président du conseil? 20. Par quelles qualités M. Rugifer excellait-il? 21. Faites un portrait à la plume de Mme Rugifer.

Chapitre VIII

1. Décrivez les plaisirs du voyage de la délégation patapouvienne. 2. Comment passa-t-on le temps pendant la traversée? 3. De quoi parla le professeur Rampata pendant tout ce temps-là? 4. Nommez les trois membres de la délégation filifère. 5. Qu'est-ce qui intéressait Edmond dans les trains de cette nation? 6. Comment étaient les signaux des deux côtés de la frontière? 7. Dépeignez la réunion des deux frères

Double. 8. Parlez de la construction de l'Hôtel de la Conférence. 9. Pourquoi les portes tournantes n'eurent-elles pas de succès auprès d'aucun des délégués? 10. Pourquoi les escaliers déplaisaient-ils aussi bien aux Filifers qu'aux Patapoufs? 11. Quelles idées divergentes les Filifers et les Patapoufs avaient-ils sur la façon d'inaugurer la conférence? 12. Quel était le premier point sur lequel M. Rugifer fit comprendre sa pensée même avant le commencement des délibérations? 13. Quel était le deuxième point? 14. Comment le professeur Rampata répondit-il au deuxième point? 15. Quel compromis le chancelier de Vorapouf proposa-t-il? 16. Comment M. Rugifer accueillit-il la proposition? 17. Quelles raisons particulières Thierry avait-il pour estimer que la situation était réellement grave? 18. Quelle solution de la difficulté Edmond proposa-t-il? 19. Comment son idée fut-elle reçue par les Patapoufs? 20. Mais qu'en dit M. Rugifer? 21. Répétez l'ultimatum du président Rugifer. 22. Comment réagit le maréchal Pouf, tout guerrier de profession qu'il était, à l'idée d'une guerre éventuelle? Comment le comte Rampata reçut-il cette même idée?

Chapitre IX

1. Donnez les principaux articles dans l'ordre de mobilisation des Filifers (d'après l'illustration à gauche de la page 78). 2. Décrivez l'enthousiaste réception accordée à leurs héros par les Filifers. 3. Expliquez quelles marques de respect furent données aux délégués patapoufs a), par Obésapouf, b) par les dames de vieille noblesse, c) par le chœur de la Chapelle Royale. 4. Quel incident à propos des affiches patapouviennes est assez amusant? 5. Comment le maréchal Pouf voulait-il protéger son pays contre l'envahisseur? 6. Quelle difficulté les tranchées des Surfaciens présentaient-elles pour les Patapoufs? 7. Comment le général Sapouf proposa-t-il d'y remédier? 8. Comment le maréchal et Edmond furent-ils récompensés pour leur part dans les plans de guerre? 9. Énumérez les trois faits dont le général Tactifer croyait qu'il fallait tenir compte

dans le plan de campagne des Filifers. 10. Expliquez les deux propositions du général. 11. Répétez toutes les demandes faites par le général et notées par son jeune secrétaire. 12. Quels dégâts Thierry observait-il lorsque les avions passaient au-dessus de sa tête déchargeant leurs obus? 13. Quelle destruction voyait-il dans les villages? 14. Pourquoi le maréchal Pouf ne pouvait-il pas marcher rapidement avec son armée à l'encontre de l'ennemi? 15. En combien de temps l'armée des Filifers fut-elle devant Pataburg? 16. Comment savait-on que Pataburg était une ville en deuil? 17. Quelle preuve physique de ce qu'il avait vraiment souffert le chancelier Vorapouf donnait-il? 18. Comment furent annoncées les conditions de paix et quelles furent ces conditions?

Chapitre X

1. Dans quel bureau des Filifers et grâce à qui Edmond obtint-il un poste? 2. Donnez un exemple montrant la peine qu'avaient les Patapoufs à s'adapter aux mœurs de l'armée d'occupation. 3. En quoi le rationnement offrait-il de sérieuses difficultés? (Voir l'image à la page 91, aussi bien que le texte.) 4. Parlez du régime auquel quelques-uns des Patapoufs se soumirent. Pourquoi les résultats de cette expérience ne furent-ils pas très satisfaisants? 5. Quelle tournure imprévue les événements prirent-ils chez les Filifers et même chez le général Tactifer? 6. Qui était maintenant le maître-d'hôtel du général? Quel menu présenta-t-il un jour à son maître? 7. Comment l'influence qu'exerçait le roi Obésapouf sur le général se manifestait-elle? 8. Que dit-il un jour au général qui le toucha et le flatta? 9. Quelle preuve eut-on que les Filifers devenaient plus indulgents à l'égard des Patapoufs? 10. Chez qui et dans quelles conditions Edmond fut-il logé après le retour de l'armée? 11. Quel changement surprenant Thierry remarqua-t-il dès le premier jour dans la maison Dulcifer? 12. Comment les enfants Dulcifers

s'excusèrent-ils d'être arrivés en retard au déjeuner? 13. Quelles réformes dans les mœurs filifériennes furent demandées par les femmes? par les enfants de collège? par les soldats? 14. Quelle décision très grave devait prendre bientôt le peuple filifer à propos des Patapoufs? 15. Dans l'opinion de M. Dulcifer, quel danger menacerait le pays si les Patapoufs obtenaient le privilège de voter? 16. Comment pouvait-on voir facilement qu'Edmond mourait de faim dans ce « sale pays »? 17. Quelle fut la vraie raison de l'attitude favorable du président Rugifer envers les Patapoufs?

Chapitre XI

1. Répétez le discours de M. Rugifer qui fut radiodifusé la veille du plébiscite. 2. Comment M. Dulcifer y répondit-il? 3. Qui l'emporta au scrutin? Comment le vote avait-il été dans les campagnes? à Filigrad? 4. A l'aide de l'image à la page 98, dépeignez le nouveau quartier mixte de Pataburg. 5. Comment étaient les autobus mixtes? (Voir l'illustration, p. 96.) 6. Pourquoi était-il plus facile pour les Patapoufs de voyager au pays des Filigrads maintenant que jadis? 7. Quels changements s'opérèrent peu à peu chez les Filifers, grâce à la présence de leurs anciens ennemis (restaurants, pâtisseries, instituts d'obésité, mode de grossir chez Filifériennes, scènes jouées au théâtre)? 8. Parlez de l'immense succès dont jouit le roi Obésapouf lorsqu'il vint à Filigrad. 9. Quel fut le résultat de l'élection générale du mois suivant? 10. Pourquoi les Patapoufs furent-ils très souvent préférés aux Filifers pour les bons postes? 11. Quelles étaient les trois annonces faites par le président Rugifer, annonces par lesquelles il conservait son propre pouvoir tout en rangeant les Patapoufs de son côté? 12. Quelle question très délicate se posait toujours entre les Patapoufs et les Filifers? Pourquoi était-elle si difficile à résoudre pour les uns comme pour les autres? 13. Quel aspect l'île présentait-elle le jour du plébicite et quel nom le roi suggéra-t-il pour l'île?

Chapitre XII

1. Pourquoi Edmond et Thierry avaient-ils longtemps hésité à quitter les pays du Sous-Sol? 2. Pourquoi pouvaient-ils partir maintenant sans scrupules? 3. Comment le chancelier facilitat-il le départ de ses deux anciens secrétaires, et même quelle autorisation alla-t-il jusqu'à leur donner gracieusement? 4. Sur les passeports des Royaumes Souterrains, quelle description du titulaire demandait-on si celui-ci était Patapouf et laquelle s'il était Filifer? 5. Où résidait le roi Obésapouf maintenant six mois par an? 6. Expliquez ce que c'était que le parti « pata pur » et le rôle qu'y jouait le professeur Rampata. 7. Quels signes de bonheur voyait-on partout dans Pataburg? 8. Décrivez le mariage mixte qui est illustré à la page 105. 9. Comment Edmond trouva-t-il son vieil ami, l'ancien chancelier de Vorapouf? 10. Racontez le voyage jusqu'à Pataport et la traversée de la Mer Jaune jusqu'à Surface-sur-Mer. 11. Qu'est-ce qu'il y avait de particulier dans la gare de ce port? 12. Que fit le douanier pour faire paraître l'escalier? 13. Quelles émotions firent battre le cœur des deux frères pendant l'interminable montée? 14. Comment surent-ils qu'ils arrivaient au bout du tunnel? 15. En sortant de la caverne, où se trouvèrent-ils et qu'entendirent-ils tout de suite? 16. Comment firent-ils l'ascension très difficile de l'espèce de cheminée que formaient les deux blocs de la Roche Jumelle? 17. Combien de temps croyaient-ils avoir passé sous terre? Combien de temps était-ce en réalité? 18. Quelle leçon pensez-vous qu'André Maurois ait voulu donner dans cette petite histoire à propos de questions internationales? 19. Avec toute sa rudesse, Rugifer a-t-il fait preuve de beaucoup de bon sens? Donnez-en deux ou trois exemples concrets que vous trouverez ci et là dans le livre. 20. Au fond, qui était grandement responsable de l'esprit international que semblait posséder M. Rugifer (ce qui indique tout de même le pouvoir du sexe féminin)?

EXERCISES

Chapitre I

1. Explain why the imperfect is the predominating tense used in the first part of the chapter (to p. 5, l. 24).

2. There are three examples of the past definite near the end of this section. Pick them out and explain why this, rather than the imperfect, is the correct tense to use.

3. In what mood is *mangeât*, p. 5, l. 7? Why? Explain its spelling. Conjugate in this form.

4. Find two verbs in the imperative in the paragraph on p. 6, l. 15 to p. 7, l. 8, and conjugate each.

5. Find two verbs in the future tense in the paragraph on p. 8, ll. 7–9, and conjugate each.

6. Find one expression in this paragraph which is a substitute for the future, as it is future in meaning. Conjugate the whole expression.

7. Write a sentence using *au-dessus de* and one with *au-dessous de*, taking your material from the text. (In general in these exercises, when asked to compose sentences, use vocabulary and ideas found in the book, without, however, copying the author.)

8. Notice that in the question *Tu es tombé?* (p. 8, ll. 29–30) Edmond used the normal order, with a rising inflection, which is a common usage in familiar style. Find another example a few lines farther on.

9. Note the idioms *avoir l'air* and *avoir peur*, p. 9, l. 13 and l. 16. Write two sentences using these expressions.

10. Conjugate the sentence *Moi j'ai été voir*, p. 9, l. 29. (Note the disjunctive pronoun *moi*, used here for emphasis, repeating the subject, *je*. Note also that *j'ai été* means *I went*.)

Chapitre II

1. What form is *auraient cru*, p. 11, l. 1? Conjugate in this tense.

2. What form is *pût*, p. 11, l. 2? Why?

3. What is the subject of *rompait*, p. 11, l. 3? (Whenever *que* is followed directly by a verb, the subject of the verb is found after the verb. This word order is used frequently in *Patapoufs et Filifers*. Look out for it.)

4. From what infinitive does *se tut* come, p. 11, l. 8? Conjugate it in this tense.

5. Note that *se tenaient* on p. 12, l. 2, is, as often, equivalent to *étaient*. Conjugate in the imperfect.

6. Explain why the imperfect in some cases and the past definite in others is the correct tense to use in the verbs on p. 12, l. 19 to p. 13, l. 7.

7. What is the form of *fît*, p. 12, l. 22? Why? Conjugate in this form.

8. Give rules for the following uses of the partitive: *de bagages*, p. 12, l. 12; *des voyageurs*, p. 12, l. 15 (Find one other example of this same usage in this paragraph, and two in the following paragraph); *d'immenses ballons*, p. 12, ll. 24–25.

9. What is *celle*, p. 12, l. 23? Give the other three forms. *Celui* must always be followed by one of three things. What are they? Find another example of the use of *celui* in the paragraph on p. 14, ll. 21–25.

10. Write three sentences using the idiom, *finir par* (+ infinitive), *to end up by* (+ participle). (Cf. *Il finissait . . . par faire*, p. 14, l. 11.)

11. On p. 14, l. 16, finish the thought of the harbor master: *Il y avait longtemps . . . !*

12. Note the idiom *cela lui était égal* on p. 15, l. 14. Repeat, with all forms of the indirect object pronoun, the sentence *Cela m'est égal*.

Chapitre III

1. What form is *ressemblât*, p. 16, l. 7? Why?

2. Explain the spelling of *connus*, p. 16, l. 8.

3. Explain the spelling of *balançaient*, p. 16, l. 8. Conjugate this verb in the imperfect reflexive.

4. Does *des petits étalages*, p. 17, ll. 8–9, seem to contradict a rule regarding the partitive? (*Petits* is considered a part of *étalages*. Cf. *des petites filles*, *des petits pois*.)

5. Find three other partitives in this paragraph which follow the commonest rule for the partitive. How is the partitive expressed after *remplir de?* List the five partitives which follow *remplis de* in l. 9.

6. Write a paragraph in French on the subject matter contained on p. 17, ll. 6–13, using as many partitives as possible, but not imitating the author too closely.

7. List several expressions in regard to gymnastics, giving the infinitive of the verbs, taking your material from the illustration on p. 18 and the text on p. 17, ll. 14–21.

8. List several adjectives and other expressions used to describe the Filifers. See especially p. 17, l. 23 to p. 18, l. 5.

9. List the name in French of the country and of the inhabitants for: England, America, and Germany.

10. On p. 20, l. 15, the subject of *A compris* is omitted. What is it?

11. Note the form *il eût été*, on p. 21, l. 2. In literary style the pluperfect subjunctive may replace the compound conditional. Put this verb into the compound conditional and conjugate it. Conjugate also its pluperfect subjunctive.

12. Make a list of all the countries and cities mentioned on p. 21. (Note that all European countries ending in *e* are feminine.)

13. What does M. Dulcifer mean when he says *Dix* (p. 22, l. 13)?

14. Translate literally and then put into English idiom *ce qu'était devenu Edmond*, p. 23, l. 14. What is the subject of *était devenu?* Translate and conjugate the phrase "what had become of me?"

Chapitre IV

1. What form is *il aurait voulu*, p. 24, l. 6? Conjugate in this form.

2. Note that *aussi* causes inversion of subject and verb (*Aussi se sentait-il . . .*, p. 24, l. 14). Conjugate this phrase.

3. List all the names of foods which you find in this chapter, taking care to indicate the gender, and learn them.

4. List all adjectives and other expressions used by the author in describing the Patapoufs. See especially p. 25, ll. 12–20.

5. Write a description in French of M. de Vorapouf.

6. Note the idiom *viennent de se couvrir*, p. 26, l. 10. Translate and conjugate in this tense. Find another example of this construction near the end of p. 29.

7. What form is *Sachez*, p. 26, l. 13? Conjugate in this form.

8. We have seen (Chap. III, Question 11) that the pluperfect subjunctive may replace the compound conditional in literary style. It may also be substituted for the pluperfect indicative, as is the case in *eût apportée* on p. 26, l. 22. Give the pluperfect indicative of *apporter*.

9. What is *celle*, p. 26, l. 23? By what is it followed? (Cf. Chap. II, Question 9.)

10. Note carefully the idiom *je vais vous faire donner un fauteuil*, p. 27, ll. 1–2. Literally translated it is "I am going to make to give to you an armchair," i.e., " I am going to have an armchair given you." Look out for this construction, which you will find constantly in *Patapoufs et Filifers: faire* + an active infinitive, translated by *have* + a passive infinitive. Form three French sentences using it.

11. Translate and conjugate the phrase "what I need to know." (Cf. *ce que vous avez besoin de savoir*, p. 27, ll. 3–4.)

12. *Celui-ci*, p. 27, l. 6, means "the latter." How does one say "the former"? Give the four forms of each.

13. Explain the mood of *fussent divisés*, p. 28, l. 13. Note that it is in the passive voice, of which there are many examples in *Patapoufs et Filifers*. What tense is *fussent divisés*? Explain the agreement of *divisés*.

14. Write a complete synopsis (in the indicative and in the

[122]

subjunctive) of *diviser* in the passive voice, with *les Poufs* as the subject.

15. What is the subject of *apparurent*, p. 28, l. 18? (Cf. Chap. II, Question 3.)

16. *l'an 1023*, p. 29, l. 8, is read *l'an mil vingt-trois*. Write out in full two or three other dates between the years 1000 and 1100.

17. Give the rule for the use of ordinals and cardinals with the names of kings. Write in full *Obésapouf I*ᵉʳ, *Obésapouf XXXII*.

18. Explain tenses of the verbs, p. 29, ll. 13–16.

19. Give rules for the four partitives found on p. 31, ll. 4–5.

20. Find five partitives on p. 31, ll. 10–12.

21. Explain the ending of *adressés*, p. 31, l. 24.

22. Explain the mood of *ait . . . connue* and the ending of *connue*, p. 31, ll. 27–28.

23. Note that in expressions such as *tout en étant vainqueurs*, p. 34, ll. 6–7, *tout en* + a participle indicates the simultaneousness of this action with that of the main verb. Write two or three other such expressions.

24. In the terms of the armistice, p. 34, ll. 19–23, the verbs are given in the conditional. What form would they have in the document itself? Put them into that form.

Chapitre V

1. Compare what M. Dulcifer said of the Patapoufs (p. 36, l. 5 to p. 37, l. 10) with the fat sailor's description of the Filifers and their actions (p. 31, ll. 7–24). Copy corresponding or contradictory phrases from each paragraph, placing them opposite each other.

2. What form is *fut donné*, p. 38, l. 11? *fut accueillie*, p. 38, l. 15? *étaient refusés*, p. 39, l. 7? *fut accepté*, p. 39, l. 11?

3. *Eût été*, p. 38, l. 25, is another example of literary usage. What is it exactly? Give its equivalent in ordinary style.

4. What form is *avaient été*, p. 38, l. 26? It is part of a conditional sentence, contrary to fact, in the past. Write one other

conditional sentence in this form (*si* + pluperfect, followed by compound conditional).

5. *Confortable* is used in speaking of things; *à son aise*, of persons. Write two sentences illustrating each of these expressions.

6. Write the masculine and feminine singular and plural of the five adjectives found in the two sentences, p. 39, ll. 16–21.

7. Do the same for the three descriptive adjectives in the following paragraph.

Chapitre VI

1. Give the masculine and feminine singular and plural of the four descriptive adjectives in the sentence on p. 42, ll. 2–4.

2. Explain the mood of *subît*, p. 42, l. 10, and conjugate in this tense.

3. Give rules for the following partitives, found in the paragraph on p. 43, ll. 3–16: *de jolis tuyaux, des verres, Des petites filles, des gâteaux énormes, d'argent*.

4. Make a list of the vocabulary connected with a railway found on p. 43, l. 17 to p. 44, l. 7.

5. Note the following prepositions, and write sentences containing them: *Autour de*, p. 43, l. 4; *Le long de*, p. 43, ll. 5–6; *A côté de*, p. 43, ll. 8–9; *jusqu'à*, p. 44, l. 16; *Aux abords de*, p. 44, l. 21; *d'entre*, p. 45, l. 1.

6. Note that *peut-être* causes inversion of subject and verb (*Peut-être aurait-on*, p. 45, ll. 9–10). Write another example.

7. Write a sentence containing *plus . . . plus*. (Cf. *Plus Edmond connut les Patapoufs, plus il les aima*, p. 45, l. 15.)

8. Explain the mood of *fussent*, p. 45, l. 18; of *pût*, p. 45, l. 24.

9. Explain the spelling of *échangeaient*, p. 45, l. 20. Find a similar case, close by.

10. What is the subject of *avait laissées*, p. 45, l. 27? Explain the spelling of *laissées*.

11. Give a rule for the tense used with *depuis*, p. 47, l. 1.

12. Explain the mood of *porte*, p. 47, l. 10, and of *s'appelle*, l. 11.

13. What form is *Il a été décidé*, p. 48, l. 4? of *fut . . . présenté*, p. 49, l. 7?

14. Explain the mood of *soit*, p. 50, l. 26.

15. Make a list of the foods displayed in the illustrations on pp. 42 and 43, indicating the gender in each case, and learn them.

16. Write the conditional sentence found on p. 51, ll. 16–18 in two other forms: *a*) "He will find . . . if they give . . ."; *b*) "He would find . . . if they gave . . .," and make an outline of tenses used in these three types.

17. Note the form *demi-heures*, p. 51, l. 21. Give the rules for the agreement of *demi*.

18. Note the idiom *entendre parler de*. (Cf. p. 51, l. 25.) Use it in two sentences.

19. Write in the three types of conditional sentences: *si on en sort vivant, on peut tout de suite faire un repas*, p. 52, ll. 4–5.

20. What form is *fut communiquée*, p. 53, l. 12? *avait été choisi*, p. 54, l. 3?

21. *Sans doute* causes inversion of subject and verb. (Cf. p. 54, ll. 29–30.) Of what other expressions already noted is this true? Write an example with *sans doute*.

Chapitre VII

1. Write three expressions, using *jouer à* (speaking of games). What preposition follows *jouer*, in the case of musical instruments?

2. How does one say "8 o'clock in the morning"? "8 o'clock in the evening"? "8:12"?

3. Why is *disait-il* in inverted order, p. 56, l. 14? Find several other examples of this order in the conversation on pp. 59 and 60 (to l. 7).

4. Note the idiom *payaient leur place deux fils de cuivre*, p. 56,

l. 21; *payer l'éducation d'un étranger*, p. 59, ll. 6–7. Use it in two other sentences.

5. In *l'homme le plus riche* (p. 56, l. 24), what form is the adjective? Compare *riche*.

6. Give the rule for the partitive in the expression *de merveilleux calculateurs*, p. 56, l. 17; *d'ascenseurs*, p. 57, l. 3.

7. What is the infinitive of *punissaient*, p. 59, ll. 1–2? Conjugate this tense.

8. What is the infinitive of *revint*, p. 60, l. 7? Conjugate this tense.

9. What is *qui*, p. 61, l. 1? Give all other forms of this pronoun referring to persons.

10. What is *qui*, p. 61, l. 6? Give all other forms of this pronoun referring to persons.

11. Why is the disjunctive pronoun *moi* used on p. 61, l. 10? Give all other disjunctive pronouns.

12. Read in French the numerals on p. 61, ll. 13–14, and on p. 62, ll. 14–15.

13. Give a statement in French about the width of two or three objects, following the idiom on p. 62, l. 20: *qui n'avait pas 50 centimètres de large*.

14. Give all affirmative imperatives of *se taire*. (Cf. *Taisez-vous!* p. 62, l. 28.)

15. Explain the mood of *inspirât*, p. 63, l. 8.

16. Compare the adjective of which *meilleur* (p. 63, l. 10) is a form.

17. Give two ways of saying "a week" in French.

18. Write in the three types of conditional sentences: *S'il avait osé, Thierry aurait presque pu dire que Mme Rugifer était une Patapouf* (p. 64, ll. 1–2).

Chapitre VIII

1. What is *dont*, p. 65, l. 3? Note the idiom *faire partie de*.
2. What mood is *Vive*, p. 65, l. 8, and why?
3. What form is *avait été fondée*, p. 66, l. 8? Conjugate

in this tense. What does *par* express after such a verb form?

4. Pick out fourteen descriptive adjectives found on p. 66, l. 23 to p. 67, l. 8, and give the masculine and feminine singular of each.

5. How does one say in French "to shake hands"?

6. Translate the following expressions in which *faire* is used: *faire venir*, p. 69, l. 8; *se fit préparer*, p. 71, l. 7; *faire connaître*, p. 71, l. 19; *faire accepter cela par le président*, p. 75, ll. 13–14; *ils s'étaient fait servir leur repas*, p. 75, ll. 17–18.

7. Note the word order in the exclamations: *Comme c'est plat! Comme c'est lourd!* p. 69, ll. 19, 21. Write another example.

8. What does *ceux-ci*, p. 70, l. 10, mean?

9. What kind of a pronoun is *laquelle*, p. 70, l. 10? Give all other forms of this pronoun referring to things.

10. Explain the mood of: *prît*, p. 71, l. 3; *se réunît*, l. 5; *choisît*, l. 15; *commencent*, l. 17; *soit désignée*, p. 72, ll. 7–8.

11. What form is *a été communiquée*, p. 71, l. 21? *a été connue*, p. 73, l. 1? *il n'est pas réglé*, p. 73, ll. 7–8. Conjugate each of these in the form here used.

12. Write in the three types of a conditional sentence: *nous pourrions comprendre l'émotion . . ., si le nom de Patafer était nouveau* (p. 73, ll. 15–17).

13. Idem for *Si l'autre ne s'était pas fâché . . ., Rugifer se serait calmé* (p. 74, ll. 17–18).

14. Idem for *Si tu connaissais les Patapoufs, tu verrais* (p. 74, ll. 19–20).

15. What is the meaning of *la conversation qu'il venait d'avoir*, p. 75, ll. 18–19? Conjugate in this tense and translate each form.

16. Explain the mood and tense of *dît*, p. 76, l. 10.

17. Put President Rugifer's proposal, p. 76, ll. 22–26, into direct form: *La proposition est la dernière que je ferai . . .*

Chapitre IX

1. What is the use of the reflexive in *se comparer*, p. 78, l. 1? in *s'était massée*, ll. 4–5?

2. What is the subject of *devaient parcourir*, p. 78, l. 5?

3. Note the idiom used in *avaient tenu à acheter*, p. 78, l. 7, and in *tinrent à venir*, p. 79, l. 10. Write a sentence using *tenir à*.

4. Near the end of the paragraph on p. 79, ll. 4–21 find two examples in which the subject follows the verb.

5. Write in the three types of a conditional sentence: *Ils auraient léché avec moins d'enthousiasme s'ils avaient su quels malheurs préparait pour eux cette affiche* (p. 79, ll. 19–20).

6. Explain why *déboucheront* is in the tense here used, p. 80, l. 6.

7. Translate literally *dont je dois la description* (p. 80, l. 12), then put it into English word order.

8. What is the subject of *creusent*, p. 81, l. 10?

9. Explain the mood of *puisse*, p. 81, l. 12.

10. What form is *serait appelé*, p. 82, l. 1? *ne sera pas . . . combattue*, p. 82, ll. 13–14? *d'être nous-mêmes envahis*, p. 82, l. 16? Conjugate the first two in the form here used.

11. What form is *occupe*, p. 82, ll. 20–21, and why? Find another verb in the same construction near by.

12. Read in French the numerals found in the text on pp. 83 and 84 (to l. 4).

13. Study the names for automobile parts in the illustration on p. 83, and learn the most useful ones.

14. What tense would replace the conditional forms, p. 84, l. 24 to p. 85, l. 1, if Thierry's thoughts were given directly? Change to *Je sais que . . .*

15. Translate: *se faire tuer*, p. 85, l. 14; *faire servir à son collègue . . . un repas*, p. 85, ll. 22–24.

16. Explain the form of *n'ait pas été tué* (mood, voice, tense), p. 85, ll. 27–28.

17. Write sentences using *avoir l'air* and *être habitué à*. (Cf. p. 86, l. 13 and p. 87, l. 2.)

Chapitre X

1. What does *voulait dire*, p. 88, l. 13, mean?

2. What form is *eût dit*, p. 88, l. 20? By what would it be replaced in conversational style?

3. Note the expression *ressemblait . . . à*, p. 89, ll. 11–12, and write another sentence using it.

4. Explain the mood, tense, and voice of *eût été détrôné*, p. 90, l. 13.

5. Note the omission of the definite article in an enumeration, to lighten the style: *Habitudes, idées, conversations*, p. 92, ll. 4–5. Insert the proper articles.

6. Note likewise the omission of the definite article with a noun in apposition: *fait*, p. 92, l. 12 (here in apposition with a whole clause). Write another example.

7. What is the meaning of *se passaient*, p. 93, l. 16? What is its subject?

8. Explain the mood of *fît*, p. 94, l. 3. Conjugate it in this form.

9. Pick out in the paragraph on p. 94, ll. 16–23, three verbs in the future and another one which represents a future. In what voice is the first one of these?

10. Explain the form and use of *moi*, p. 95, l. 4.

11. Translate and explain *se faisait sentir*, p. 95, ll. 27–28.

Chapitre XI

1. What word would you ordinarily expect with *Patapoufs* and *Filifers*, p. 96, l. 5? Why omitted?

2. What form are *Imitons* and *Fondons*, p. 97, l. 4? Conjugate them in this form.

3. What is the construction of *de haine*, p. 97, l. 13? Give rule.

4. Write in the three types of conditional sentences: *Si nous y renonçons, nous ne pouvons savoir ce que sera l'avenir* (p. 97, ll. 17–18).

5. Translate *avoir raison; avoir un peu raison*. (Cf. p. 97, l. 19.)

6. What does *emporter* mean? *l'emporter?* (Cf. p. 97, ll. 23–24.)

7. What form is *avaient été supprimés*, p. 97, l. 28? *furent acclamés*, p. 100, l. 4? Explain the spelling of *supprimés* and of *acclamés*.

8. What does *centaines* mean, p. 97, l. 30? Give similar forms made from the numerals: 8, 10, 12, 15, 20, 30, 40, 50, 60.

9. Give a verb, an adjective, and another noun of the same root as *amaigrissement*.

10. Write an example of your own for each of these idioms: *traiter en* (Cf. *traiter en souverain*, p. 100, l. 1); *avoir lieu* (Cf. *eut lieu*, p. 100, l. 7); *se moquer de* (Cf. *s'étaient moqués*, p. 100, ll. 11–12); *faire entrer* (Cf. *qu'il y avait fait entrer*, p. 100, l. 18).

11. Write a synopsis in all tenses of *La nouvelle fut accueillie* (note the voice), p. 101, l. 11. What other verb in this paragraph is in the same form?

12. What are the voice, mood, and tense of *eût été posée*, p. 101, l. 24? Give the form which would be used in conversational style.

13. Explain the mood of *parlât*, p. 102, l. 3.

14. Conjugate the sentence *je n'y avais jamais pensé*, p. 102, ll. 5–6. What does *y* mean here? How does one say in French "to think about"?

Chapitre XII

1. Give a verb and another noun from the same root as *couronnement*.

2. Note the word order which follows *peut-être* (*Peut-être avait-on . . .*, p. 103, ll. 6–7). Of what other expressions is this true?

3. Explain the mood of *fussent mêlés*, p. 103, l. 12. Can you give other similar expressions which are followed by this mood?

4. Write an example of your own, using *s'entendre*. (Cf. *s'entendaient*, p. 103, l. 13.)

5. Describe in French either a Patapouf or a Filifer, using words found on the passport on p. 104.

6. How does one say in French "six months of the year"?

7. What two meanings does *campagne* have? Give an adjective formed from *campagne*, which is used in this chapter.

8. Write two sentences using *faire le tour de*. (Cf. *Il leur fit faire le tour de la gare*, p. 105, l. 10.)

9. In the expression *à celui qui les avait amenés*, p. 105, ll. 15–16, what is *celui?* Tell all you know about it, and its use here. Explain the spelling of *amenés*.

10. Explain in detail the form *avaient été abolies*, p. 106, ll. 4–5.

11. What is the construction of *de l'argent*, p. 106, l. 9? Find two other examples of the same a few lines farther on.

12. What form of the verb is *s'être concertés*, p. 106, l. 19? Why is *être* used, not *avoir?* What form of the verb follows all prepositions except *en?* Find an example with *en* near the end of the chapter.

13. What is the subject of *formaient*, p. 106, l. 23?

14. What does *celui-ci* mean on p. 106, l. 28? Give the other three forms of this pronoun.

15. Give the rule which explains the use of the definite article with *temps*, p. 107, l. 5.

16. What is the construction of *soleil* and *lune*, p. 107, l. 6? Give rule.

NOTE

This vocabulary does not, in general, include common prepositions, pronouns, and conjunctions, possessive and demonstrative adjectives, irregular verb forms, numerals, nor words whose resemblance in the two languages is close enough to make their meaning clear (except in cases where it is useful to indicate gender of nouns or endings of verbs).

The following abbreviations are used:

abbrev.	abbreviation	*ill.*	illustration
adj.	adjective	*inf.*	infinitive
ant.	antiquated	*inter.*	interjection
cf.	compare	*interrog.*	interrogative
compar.	comparative	*m.*	masculine
conj.	conjunction	*n.*	noun
exclam.	exclamation	*neolog.*	neologism
f.	feminine	*pl.*	plural
fam.	familiar	*p. part.*	past participle
fol.	followed	*pron.*	pronoun

VOCABULARY

A

abandonner to abandon

abeille *f.* bee; **nid d'—s** honeycomb; **radiateur nid d'—s** honeycomb radiator

abîme *m.* abyss

abolir to abolish

abord *m.* approach; *pl.* outskirts

abord: d'—, in the first place, at first

aborder to land; arrive

abri *m.* shelter

abrité sheltered

absolu absolute

absurde absurd

académie *f.* academy; **— historique** *see* **historique**

accentuer to accent, accentuate

accepter to accept; consent

acclamer to acclaim, applaud

accompagner to accompany

accord *m.* agreement; **d'un commun —**, by mutual agreement; **être d'—**, to be agreed, agree

accorder to accord, grant

accrocher to hook, catch, attach; **— à** hang from; **s'—**, catch hold

accueillir to receive, greet

accumuler to accumulate; gather together

acheter (à) to buy (from)

achever to finish

acier *m.* steel; **fil d'—**, *see* **fil**

actif, –ive active, sprightly, alert

actuel, –le present

adapter: s'—, to adapt oneself

adieu good-bye

admettre to admit; permit

administration *f.* government service, government office

administrer to govern

admirable admirable, wonderful

admirablement admirably, wonderfully

admirer to admire

adopter to adopt, take

adoption *f.* adoption; **par l'—**, by adoption

adorer to adore, idolize

adosser: s'— à to lean (one's back) against

adresser: s'— à to apply to, appeal to

affaire *f.* affair; *pl.* business; affairs

affamé famished, starving

affiche *f.* poster, placard

afficher to post; **tableau affiché** *see* **tableau**

afficheur *m.* billposter

affreux, –euse frightful, hideous; **— à voir** *see* **voir**

âge *m.* age

agitation *f.* agitation, commotion

agiter to stir; churn (*of water*); wave; **s'—**, stir about, move

agneau *m., pl.* **–x** lamb

agréable agreeable, pleasant

ahuri bewildered

aide *f.* help

aider to help

aiguille *f.* needle; —s **de Fer** *promontories in the country of the Filifers;* — **du Pic** *mountain peak of the Filifers*

aile *f.* wing

ailleurs elsewhere; **d'**—, moreover, it must be added

aimable amiable, agreeable

aimer to like, love; — **mieux** like better, prefer; **s'**—, love each other

aîné elder; eldest

ainsi thus; — **que** as well as

air *m.* air; look, appearance; *pl.* air; **avoir l'**—, to look; **avoir l'**— **de** look like; **en plein** —, in the open air

aise *f.* ease; **à son** —, comfortable

aisément easily

ajouter to add

Albanie *f.* Albania

Alger Algiers (*capital of Algeria, North Africa*)

allécher to allure, entice

Allemagne *f.* Germany

Allemand, –e *m. and f.* German

aller to go; be about to, be going to; — **bien** be all right; — **mal** go badly, go wrong; **allons!** come! well! **s'en** —, go away

allongé elongated

alors then, at that time; so, therefore

alors que when, while; whereas

alternativement alternately

amaigrissement *m.* reducing (*in weight*)

amandier *m.* almond tree

ambitieux, –euse ambitious

âme *f.* soul; — **en peine** soul in Purgatory

améliorer to improve; **s'**—, improve

amener to lead; conduct, take; bring

Américain, –e *m. and f.* American

Amérique *f.* America

ami, –e *m. and f.* friend

amitié *f.* friendship; **signe d'**—, *see* **signe**

amusant amusing

amuser to amuse; **s'**—, enjoy oneself

an *m.* year; **avoir dix** —**s** to be ten years old; **de dix** —**s** ten years old; **par** —, a year

ananas *m.* pineapple

ancêtre *m.* ancestor

ancien, –ne ancient, old; former

Anglais, –e *m. and f.* Englishman, Englishwoman

Angleterre *f.* England

anguille *f.* eel; **Anguille** *river of the Filifers*

animal *m.*, *pl.* **-aux** animal

animé animated, in motion

annexer to annex

annonce *f.* advertisement; announcement

annoncer to announce

anxiété *f.* anxiety, uneasiness

apaiser to appease, pacify

apercevoir to perceive, see; catch sight of

apparaître to appear

appareil *m.* apparatus, device; (radio) station

appartement *m.* flat, apartment

appartenir (à) to belong (to)

appeler to call, name; call upon; **s'**—, be called, be named apporter to bring; — à manger bring food

apprendre to learn; teach; — à inform

approcher (de) to approach; s'— (de) approach, come near (to)

appuyer to prop; lean; — sur press; s'—, lean against

après after; afterwards; d'—, according to

arbre m. tree; — à cames see came; — de transmission see transmission

arche f. arch

archipel m. archipelago

architecte m. architect

argent m. silver; money

argile f. clay

arme f. weapon; coat of arms; en —s armed

armée f. army; — de terre land forces; — de mer naval forces

arracher (à) to tear (from), snatch (from); tear off

arranger to arrange, settle; s'—, manage; be arranged, be managed

arrêter to stop; draw up; s'—, stop, pause

arrière m. back; stern (of ship)

arrière behind; d'— en avant back and forth

arrivée f. arrival

arriver to arrive; come; happen; succeed; — à (or en) reach

arrondi rounded, round

artillerie f. artillery; — de campagne field artillery

ascenseur m. elevator

ascension f. ascent; faire l'— de to climb up

aspect m. aspect; sous un autre —, in another aspect

asperges f. pl. asparagus

aspic m. aspic (cold meat or fish with jelly); les Aspics archipelago off the country of the Filifers

assemblée f. assembly

asseoir: s'—, to sit down; assis seated; place assise see place

assez rather; enough

assiéger to besiege

assiette f. plate

assis see asseoir

assister (à) to attend

assurer to assure, affirm

Atlantique m. Atlantic Ocean

attacher to attach

attaquer to attack

atteindre to reach

attendre to wait (for), await; expect; — qu'il parle wait for him to speak

attendrissement m. emotion

attente f. waiting; salle d'—, see salle

attention f. attention; faire —, see faire

attirer to draw; attract, lure, entice

attribuer to ascribe

aucun any; ne ... —, not any, none, no

audace f. audacity, boldness

au-dessous de below

au-dessus de above

au-devant to the meeting; venir — de to come to meet

augurer to augur, foresee

auprès de with; close by

aussi also, too; so, thus; therefore; as; — bien que as well as; — ... que as ... as aussitôt immediately

austérité *f.* austerity; abstinence

autant as much, so much; — que as much as; d'— plus all the more

auteur *m.* author

authentique authentic

autobus *m.* bus

automobile *f.* automobile; —ballon balloon (shaped) auto

autoriser to authorize, sanction

autour de around

autre other; chez nous —s Filifers with us Filifers; d'—s others; nous —s we; un —, another

avancer to advance; s'—, come forward

avant before; — de before (*with inf.*); en —, forward; d'arrière en —, *see* arrière

avant que before

avantage *m.* advantage

avant-scène *f.* stage box

avènement *m.* accession (to the throne)

avenir *m.* future

avion *m.* airplane

avoine *f.* oats; biscuit d'—, *see* biscuit

avoir to have; — à craindre need to fear; — raison *see* raison; il y a there is, there are; ago; il y a deux ans two years ago; ce qu'il y a de plus précieux the most precious thing

avril *m.* April

B

baba *m.* baba (*kind of cake dipped in rum syrup*)

bagage *m.* baggage; *pl.* luggage

baisser to lower

balance *f.* scales

balancer to balance, sway, move

ballon *m.* balloon; en forme de —, *see* forme; les Gros Ballons *mountain peaks of the Patapoufs*

ballonné puffed out

ballotter to toss about, shake about

banane *f.* banana

banc *m.* bench

banderole *f.* streamer

bandit *m.* bandit, brigand

bang! bang! (*taken from English, imitating sound of bomb bursting*)

barbare barbarous, barbaric

barbe *f.* beard; à — blanche with a white beard

barreau *m., pl.* -x bar

barrière *f.* barrier

bas, -se low

bascule *f.* rocker; fauteuil à —, rocking chair

bastingages *m. pl.* railing (*of ship*)

bataille *f.* battle; livrer —, *see* livrer

bateau *m., pl.* -x boat, ship

bateau-transport *m.* transport ship

Bathouf, Gros-René *orchestra leader at Pataburg*

bâtiment *m.* building

battre to beat; defeat; se —, fight (each other)

bavard *m.* chatterer, chatterbox

bavarder to chat

beau, bel, belle, *pl.* beaux, belles beautiful, handsome; fine (*ironical*); faire —, *see* faire

beaucoup much, many; a great deal, very much

bébé *m.* baby; **chaise de —**, *see* **chaise**

bécasse *f.* woodcock

besoin *m.* need; **avoir — de** to need

bête stupid, foolish

bielle *f.* crank arm

bien *m.* good

bien well; very; indeed; **eh —!** well! **faire si —**, *see* **faire**; **si — que** so that, and so

bien que although

bientôt soon

bienveillance *f.* kindliness

bienveillant friendly, benevolent

bière *f.* beer

biscotte *f.* rusk

biscuit *m.* cookie, plain cake; **— d'avoine** oatmeal cake

blâmer to blame, criticize

blanc, blanche white

blesser to wound, injure

bleu blue

bleuté bluish

bloc *m.* block

bock *m.* beer glass, stein; **au bon —**, at the sign of the good stein

boire to drink

bol *m.* bowl

bon, bonne good; kindly

bonbon *m.* candy

bonheur *m.* happiness

bonjour *m.* good day

bonté *f.* kindness

bord *m.* edge; **— de la mer** seashore; **à —**, on board (ship)

borner to limit

bouche *f.* mouth

bougie *f.* candle

Bouille-les-Eaux *watering place of the Patapoufs* (*cf.* **bouillir** to boil)

bouillon *m.* broth

boulon *m.* bolt

bourg *m.* small market town

bourgeois bourgeois, middle-class

bourgogne *m.* Burgundy wine

bourse *f.* stock exchange

bout *m.* end

bouteille *f.* bottle

bouton *m.* button

boxe *f.* boxing

bras *m.* arm

brave brave; fine (*when preceding noun*); **un —**, a brave person

bravement bravely

bref, brève brief

brillant brilliant, shiny

briller to shine

brodé embroidered

bruit *m.* noise

brusque blunt, abrupt

brusquement brusquely, bluntly, abruptly

brutal rough

Brutifer *president of the Filifers* (*cf.* **brut** brutish, **fer** iron)

bureau *m.*, *pl.* **-x** desk; office

but *m.* goal

C

ça that (*fam. for* **cela**)

cabine *f.* cabin

cacao *m.* cocoa

cadet *m.* younger

cadre *m.* frame

café *m.* coffee; **— au lait** coffee served with hot milk

calcul *m.* arithmetic

calculateur *m.* computer

calculer to calculate; **machine à —**, *see* **machine**

calme *m.* calmness, composure; *adj.* calm

calmer to calm, placate; **se —**, calm oneself

came *f.* lifter; **arbre à —s** camshaft (*formerly used, has now been replaced by the hydraulic brake*)

camion *m.* truck

camp *m.* camp; faction, side

campagnard country, rustic

campagne *f.* country, countryside; campaign; **travaux de —**, *see* **travail**

canaille *f.* scoundrel; blackguard

canon *m.* cannon, gun

canot *m.* (open) boat; **— de sauvetage** *see* **sauvetage**

cap *m.* cape, headland; **Cap Patapoum, Cap Matapouf** *capes in the country of the Patapoufs*

capitaine *m.* captain

capitale *f.* capital

car for, because

caractère *m.* character; disposition; **avoir bon —**, to be good-natured; **avoir mauvais —**, be bad-tempered

caractériser to characterize, distinguish

caractéristique *f.* characteristic

carburateur *m.* carburetor

carnet *m.* notebook

carte *f.* map; bill of fare; **— géographique** map

carton *m.* cardboard, pasteboard; card; **verre en —**, *see* **verre**

cas *m.* case, instance

caserne *f.* barracks

cause *f.* cause; **à — de** because of; **être — de** to cause

cavalier *m.* horseman

caverne *f.* cave, cavern

caviar *m.* caviar

ce this, that

ce, cet, celle, *pl.* **ceux, celles** this; that; **— bateau-ci** this boat; **— bateau-là** that boat; **— que** what

ceci this

céder to give in, yield

cela that; that thing; **c'est —,** that's right

celui, celle, *pl.* **ceux, celles** this one; that one; the one; **—-ci** the latter; this one; **—-là** the former; that one

cent (a) hundred; **pour —**, per cent

centaine *f.* about a hundred; **par —s** by the hundreds

centime *m.* centime (*100th part of a franc*)

centimètre *m.* centimeter (*0.394 inches*)

centre *m.* center; **Pays du Centre** *country in the center of the earth, i.e. underground country*

cependant meanwhile; however

cercle *m.* circle

cérémonie *f.* ceremony

certain certain; sure; *pl.* certain, some

certainement certainly

cervelas *m.* Bologna sausage; **course aux —,** *see* **course**

cesse *f.* ceasing; **sans —,** unceasingly

chacun each, each one

chaîne *f.* chain; mountain range;

Chaîne de l'Ourlet *mountain range of the Filifers* (**ourlet** edge of crater); **Chaîne des Pinioufs** *mountain range of the Patapoufs*

chaise *f.* chair; — **de bébé** high chair

chambre *f.* room; bedroom; — **à coucher** bedroom; **la Chambre** Chamber of Deputies

champagne *m.* champagne (wine)

chance *f.* chance; luck; **avoir de la** —, to be lucky

chancelier *m.* chancellor

changement *m.* change

changer to change

chanter to sing

chapelle *f.* chapel

chaque each, every

charger (**de**) to entrust, commission

chariot *m.* wagon, cart

charrue *f.* plough

chasseur *m.* rifleman; — **léger** light infantryman

chat *m.* cat

châtiment *m.* punishment

chef *m.* leader, chief; — **d'orchestre** orchestra leader; **commandant en** —, *see* **commandant**

chemin *m.* road; — **de fer** railroad; **en** — **de fer** by train

cheminée *f.* chimney

chercher to hunt; hunt for; get

cheval *m.*, *pl.* —**aux** horse; **à** —, on horseback

cheveu *m.*, *pl.*-**x** hair; *pl.* the hair; **à** —**x blancs** with white hair

chez with; to *or* at the home of,

to *or* at the office of; in the country of; in the case of; — **lui** (at) home

chien *m.* dog

choc *m.* shock, impact

chocolat *m.* chocolate

chœur *m.* choir

choisir to select, choose

choix *m.* choice

choquer to shock; offend

chose *f.* thing; **encore des** —**s** *see* **encore**

chut! hush!

ci here; — **et là** here and there

Cie *abbrev. for* **compagnie**

ciel *m.* sky

cigarier *m.* cigar maker (*properly used only in f.*)

cinq five; — (**sur dix**) *a grade of 5 on a basis of 10, i.e., 50%*

cinquante fifty

cinquième fifth

circonstance *f.* circumstance

circuler to circulate, move about

cirque *m.* circus

citoyen, –ne *m. and f.* citizen

citron *m.* lemon

citronnade *f.* lemonade

clair light; **faire** —, *see* **faire**

clairement clearly

classe *f.* class; — **de 7ᵉ** seventh class (*corresponding to 4th grade*); — **de 9ᵉ** ninth class (*corresponding to 2nd grade*)

classique standard

clou *m.* nail; **les Trois Clous** *three mountain peaks of the Filifers*

Clouville *f. city of the Filifers* (*cf.* **clou** nail)

cm. *abbrev. for* **centimètre(s)**

cmes *abbrev. for* **centimes**

cochon *m.* pig; — **de lait** sucking

pig; au — de lait at the sign of the sucking pig

cœur m. heart; feelings; avoir du —, to be affectionate

col m. neck; pass (of mountain); Col de Piqûre mountain pass of the Filifers (piqûre prick)

colère f. anger; pl. fits of anger; en —, angry

colle f. paste; — à la vanille vanilla paste

collège m. secondary school (covering same field as a lycée, but maintained largely by the municipality)

collègue m. colleague

colline f. hill

combat m. combat, fight

combattant m. combatant, fighting man

combattre to combat

combien (de) how much, how many, how

comble m. height; top

comique comical, funny

commandant m. commanding officer, commander; — en chef commander in chief

commandement m. command, leadership

commander to order, command

comme like; as; as if; how!; (conj.) as, while

commencement m. beginning

commencer to begin

comment? how? what? what is that? how is that? — cela? how is that?

commode convenient; comfortable

commun common, mutual; d'un — accord see accord

communication f. communication; — téléphonique telephone number

communiquer to communicate

compagnie f. company

comparer (à) to compare (with); se —, be compared

compartiment m. compartment (of a railway carriage; French cars are divided into compartments)

compatriote m. compatriot, fellow countryman

complet, –ète complete

compléter to complete, make complete

comporter to include

composer to compose; se — be composed

composition f. composition; essay; — de géographie monthly test in geography

comprendre to understand; include

compris included; y —, including

compromettre to compromise, jeopardize

compromis m. compromise

compte m. account; pour son —, as far as he is concerned; tenir — de to take into account; tenir des —s keep accounts

compter to count; rely

comte m. count

concentrer to concentrate

concerter to arrange; se —, consult each other; sans s'être concertés spontaneously

concièrge m. and f. doorkeeper, caretaker (use French word in translating)

conciliant conciliatory

conciliation *f.* conciliation, reconciliation

concurrence *f.* competition; **faire — à** to compete with

condition *f.* condition, term; *pl.* circumstances; **—s de la paix** peace terms

conduire to lead; guide, conduct

conduite *f.* conduct

conférence *f.* conference, conclave

confiant confident

confier to entrust

conforme conformable; **— à** consonant with

confort *m.* comfort(s)

confortable comfortable

confortablement comfortably

connaître to know; meet (*in past tenses*); **— un succès** enjoy a success

connu known

conquérant *m.* conqueror; *adj.* conquering

conquérir to conquer

conquête *f.* conquest

conquis conquered

consacré time-honored

conseil *m.* council; advice; cabinet; **président du —,** prime minister (*in Third French Republic*)

conseiller (à) to advise

conséquence *f.* consequence, outcome

conserver to keep

considérer to consider

consoler to console, comfort

consterné dismayed

construction *f.* construction, building

construire to build

consulter to consult

contempler to contemplate, gaze at

contenir to contain

content content, happy

continuer to continue

contradictoire contradictory

contraindre to force, compel

contraire *m.* contrary; **au —,** on the contrary

contrarier to thwart, oppose

contraste *m.* contrast

contre against; **— paiement** *see* **paiement**

contribuer to contribute

convenir to agree

convoquer to summon

cornet *m.* horn, cornucopia, paper cone

corps *m.* body; corps; **— expéditionnaire** expeditionary force

côte *f.* coast, shore; *pl.* coast

côté *m.* side; **à —,** near by; **à — de** beside, near; **de chaque —,** on each side; **de l'autre —,** on the other side; **de son —,** on one's side; **des deux —s** on both sides; **du même —,** in the same direction; **d'un —,** on the one hand; **d'un — de** on one side of

côtelette *f.* cutlet, chop

cou *m.* neck

coucher: se —, to go to bed

couleur *f.* color

couloir *m.* corridor, passageway

coup *m.* blow; stroke; **— d'œil** *see* **œil;** **— de poing** *see* **poing;** **— de sirène** blast of the siren; **tout d'un —,** all of a sudden

coupable guilty

coupant cutting, sharp
coupe *f.* goblet
couper to cut
coupole *f.* cupola
courageux, –euse courageous, valiant
courant *m.* current
courir to run
couronne *f.* crown
couronnement *m.* coronation
couronner to crown
cours *m.* course; au — de in the course of
course *f.* race; — aux cervelas sausage race
coussin *m.* cushion
couteau *m.*, *pl.* –x knife
coutume *f.* custom
couverture *f.* cover
couvrir to cover; couvert de covered with
cra *imitation of the sound of an escalator*
craindre to fear, be afraid of
créer to create; found; se —, be founded
crétin *m.* idiot, dunce
creuser to dig
crever to burst; puncture
cri *m.* cry
crier to shout, cry out, cry
croire to think, believe
croisé crossed
croix *f.* cross
cuir *m.* leather
cuire to cook, bake
cuisine *f.* kitchen; cooking; recette de —, *see* recette; règlement de —, *see* règlement
cuisinier *m.* cook; Grand —, *see* grand
cuivre *m.* copper

curieux, –euse curious, inquisitive; odd
curiosité *f.* curiosity
cylindre *m.* cylinder

D

daigner to deign, condescend
dalle *f.* tile, paving stone
dame *f.* woman
dangereux, –euse dangerous
d'après-guerre post-war
dard *m.* dart, javelin; **Mont Dard** *mountain peak of the Filifers*
de of, from; by; with; plus —, *see* plus
de *sign of nobility with proper names*
débarcadère *m.* wharf
débarquement *m.* disembarkation
débarquer to disembark
déborder to overflow, brim over, spread over
déboucher to come out, emerge
debout standing
début *m.* beginning
deçà on this side; en — de on this side of
décharger to unload
décharné emaciated, fleshless
décider to decide
découvrir to discover
décrire to describe
défendre to defend, protect; forbid
défense *f.* defence; prohibition; — de fumer no smoking; — de s'appuyer sur les murs leaning against the walls forbidden; — de stationner loitering not allowed

défensif, –ive defensive
définitivement definitely
dégât *m.* damage
dégoût *m.* disgust, distaste, loathing
dehors outside
dehors *m.* outside, exterior
déjà already; depuis un instant —, *see* depuis
déjeuner *m.* breakfast; lunch; le — n'est que dans une heure *see* ne ... que
déjeuner to breakfast
delà beyond; au — de beyond; en —, beyond
délai *m.* delay
délégué *m.* delegate
délicieux, –euse delicious; delightful
demain tomorrow
demande *f.* demand
demander to ask, demand, ask for; want, need; — quelque chose à quelqu'un ask someone for something; se —, wonder
demeurer to dwell; remain
demi half; à —, half
demi-heure *f.* half-hour
demi-obscurité *f.* half darkness
démontrer to show
dent *f.* tooth; jagged peak; Dents de Scie *promontories of the Filifers* (scie saw)
départ *m.* departure; veille du —, *see* veille
dépasser to exceed
dépêcher: se —, to hurry
dépeindre to describe
dépendre (de) to depend (on)
dépense *f.* expenditure
déplaire to displease, be displeasing

déplaisant displeasing
déplier to unfold, open out
déposer to deposit, set down, place; depose, dethrone
depuis since; for; — longtemps since (for) a long time; — un instant déjà for a moment already
député *m.* deputy
dernier, –ière last
derrière behind
dès from, beginning with; — avant before, with; — que as soon as
désagréable disagreeable, unpleasant
désaltérer: se —, to quench one's thirst
désappointer to disappoint
descendre to descend, go down; come down; dismount
descente *f.* descent
désert *m.* desert
désespoir *m.* despair
désigner to designate
désir *m.* desire
désirer to desire, wish
desormais henceforth
dessert *m.* dessert
desservir to serve, connect with
dessin *m.* drawing; design
dessiner to design
destiné destined; à qui —? for whom designed?
détail *m.* detail
détaillé detailed
détestable detestable
détester to detest
détroit *m.* strait; sound
détrôner to dethrone
détruire to destroy
deuil *m.* mourning

[143]

deuxième second

devant in front of

devenir to become; **ce qu'était devenu Edmond** what had become of Edmond

deviner to guess, imagine; **on devinait leurs os** one could imagine that one saw their bones

devoir *m*. exercise; task

devoir to owe; ought, must, have to; be supposed to; **dû à** owing to

dictée *f*. dictation; **sous la —,** at the dictation

Dieu *m*. God; **mon —!** goodness! heavens!

différent various; **— (de)** different, unlike

differentiel *m*. differential

différer to differ

difficile difficult

difficulté *f*. difficulty

digne worthy

dignitaire *m*. dignitary, "big shot"

dignité *f*. dignity

dimanche *m*. Sunday

dîner *m*. dinner (*evening meal*)

dire to say, tell; **c'est-à-—,** that is to say; **n'en — pas plus** not to say any more; **dit** called, named

dire *m*. saying

diriger to direct; **se —,** direct oneself, go

discours *m*. speech; **prononcer un —,** *see* **prononcer**

discuter to discuss, debate

disparaître to disappear

disparate *f*. disparity, lack of conformity

disposition *f*. disposition; disposal

dispute *f*. controversy, dispute

disputer to dispute; **se —,** wrangle, argue

dissimuler to conceal, dissimulate

distinctement distinctly

distinction *f*. distinction, point of difference, discrimination; **— de poids** discrimination based on weight

distinguer to distinguish, differentiate

divergeant diverging, differing

divers diverse, sundry

divertir to divert; **se —,** amuse oneself

diviser to divide

dix ten; **— sur —,** *a grade of 10 on the basis of 10, i.e., 100%*

dixième tenth

docteur *m*. doctor

dôme *m*. dome

dommage *m*. damage; **que c'est —!** what a pity it is!

don *m*. gift

donc so, then, therefore

donner to give; **se — du mal** go to a lot of trouble

dont of which, of whom, whose

doré gilded, golden

dormeur, –euse *m. and f.* sleeper

dormir to sleep

dos *m*. back

douane *f*. customs

douanier *m*. customs officer

doucement gently

douceur *f*. gentleness, sweetness; **avec —,** gently

doute *m*. doubt; **sans —,** doubtless

Douvres Dover (*English port on English Channel*)

doux, douce gentle, sweet

douzième twelfth

Dr. *abbrev. for* **docteur**

drapeau *m., pl.* **-x** flag

dresser: se —, to rise, stand

droit *m.* right, privilege; law; **avoir** —, to have the right; *adj.* right

droite *f.* right; **de** —, from the right; **tenir sa** —, to keep to the right

duc *m.* duke

Dulcifer *name of a Filifer professor* (*cf.* **dulcifier** to sweeten; correct)

dur hard, harsh; tough; uncompromising; **œuf** —, *see* **œuf**

durée *f.* duration, time

durer to last

dureté *f.* harshness

E

eau *f., pl.* **-x** water

écartement *m.* spread

échanger to exchange

échanson *m.* cupbearer

éclair *m.* lightning; éclair (*a kind of cake*)

éclairer to light, illuminate

éclat *m.* fragment

éclater to burst, explode

école *f.* school; **à l'**—, at school, to school

écorcher to skin

écouter to listen (to)

écrire to write

écriteau *m., pl.* **-x** sign, notice, placard

écriture *f.* penmanship, handwriting

édifice *m.* building

effet *m.* effect; result; **en** —, in fact, in reality

efflanqué lean, gaunt

efforcer to force; **s'**—, force oneself

effrayé frightened; dismayed

effrayer to frighten

effroi *m.* terror, fear

effroyable frightful

égal *m., pl.* **-aux** equal; **être** —, to be all the same, be a matter of indifference

également equally; likewise

égard *m.* respect; **à l'**— **de** in regard to; **à son** —, in regard to him

eh hey! — **bien!** *see* **bien**

élastique elastic

électrique electric

éloigner: s'—, to go, go away

embarquer: s'—, to embark

embrayage *m.* connecting gear, clutch

émeute *f.* riot

emmener to take away; take, lead

émotion *f.* emotion

emparer: s' — **de** to take possession of

employé *m.* employee

employer to use

emporter to carry along, sweep along; **l'**—, triumph, win out

ému moved, affected

en of it, of them; some, any; from it

en in, at; during, while

encontre: à l'— **de** against

encore yet, still; — **des choses** more things; **plus** —, even more

encourageant encouraging

endormi asleep

endroit *m.* spot, place

énergiquement energetically

enfant *m. or f.* child

enfermer to shut up, lock up; enfermé a person locked up, hemmed in; Guerre des —s War of the Interned

enfin finally; in a word

enfouir to bury

engraisser to grow fat, gain weight

enjamber to straddle

enlever to take away

ennemi *m.* enemy; *adj.* enemy

énorme enormous, huge

énormément enormously, hugely

ensemble together

ensuite then, next

entasser to pile up

entendre to hear, hear of; — parler de hear about; les — dire to hear them say; s'—, understand each other, come to an agreement; agree, get on (together)

enthousiasme *m.* enthusiasm

entier, –ière entire, complete

entre between; — eux among themselves, with each other; — vos mains in your hands; d'—, (from) among

entrée *f.* entrance; entry; entrance hall; faire son —, to make one's entrance, enter

entrer to enter; — dans (*or* à) enter

énumérer to enumerate

envahir to invade

envahisseur *m.* invader

envie *f.* desire, longing; avoir —, to desire, want, have a longing; avoir si —, have such a desire

envieux, –euse envious

environ about, approximately

envoyer to send; s'— les uns aux autres send to each other

épaule *f.* shoulder

épée *f.* sword

épingle *f.* pin; l'Épingle *mountain peak of the Filifers*

époque *f.* epoch; date

époumoné breathless, puffing

épouser to marry

erreur *f.* error, mistake; pas d'—, that's right!

escalader to scale, climb over

escalier *m.* (flight of) stairs; — mobile escalator; Escaliers de Surface stairs leading to the "Surface"

escrime *f.* fencing

espèce *f.* kind, sort; species

espérer to hope

esprit *m.* spirit, mind; wit

essayer to try

essentiellement essentially, fundamentally

essoufflé out of breath, winded

est *m.* east

Esthonie *f.* Esthonia

estimable respectable

estimer to consider

étalage *m.* display

état *m.* state; condition; homme d'—, statesman

état-major *m.* general staff; — général general staff, High Command

États-Unis *m. pl.* United States

été *m.* summer

étonnant astonishing

étonné astonished

étouffer to smother

étourdi *m.* harum-scarum

étourdir to daze, stun
étranger, –ère *m. and f.* foreigner;
 adj. foreign
étrangler to strangle
être *m.* (human) being, crea-
 ture
être to be; go (*in past tenses*); —
 à belong to; — à la peine *see*
 peine; — cause de *see* cause;
 en — là get that far; on a été
 we went
étrennes *f. pl.* New Year's gift
étroit narrow; close
étudier to study
événement *m.* event
éventuel, –le eventual
évidemment obviously, evidently; of course
éviter to avoid
exact exact; punctual
exactement exactly, precisely
exactitude *f.* punctuality
excellence *f.* Excellency
excellent excellent
excuser: s'—, to excuse oneself,
 apologize
exemple *m.* example; par —, for
 example
exercer to exercise, exert
exercice *m.* exercise
exiger to demand, insist
exister to exist, be
expéditionnaire expeditionary;
 corps —, *see* corps
expérience *f.* experiment
explication *f.* explanation
expliquer to explain
exploit *m.* feat; achievement
exploiter to develop
explorer to explore
exposé *m.* report, statement
exposition *f.* exposition, fair

extensible extension (*i.e., capable
 of being extended*)
extraire to draw, extract
extrait *m.* extract, excerpt
extraordinaire extraordinary
extrêmement extremely
extrémité *f.* end, extremity

F

fabrication *f.* manufacture
fabriquer to manufacture
face *f.* face; en — de opposite
fâché angry
fâcher to anger; se —, become
 angry
facile easy; complaisant, easy-
 going
facilement easily
faciliter to facilitate
façon *f.* way; manner; une — à
 eux a way of their own
faiblesse *f.* weakness
faïence *f.* faïence, earthenware
faim *f.* hunger; avoir —, to be
 hungry; avoir grand —, be very
 hungry
faire to do, make; — accepter par
 quelqu'un make someone accept; — attention pay attention; be careful; — beau be
 fine (*ironical*); — good
 weather; — clair be light; —
 collection collect; — comprendre à quelqu'un make
 someone understand; — connaître make known; — des
 histoires *see* histoire; — donner have given; — entrer get
 a position for; — —, have done,
 have made; — le tour de *see*
 tour; — perdre cause to lose;

— preuve *see* preuve; — prisonnier take prisoner; — si bien act in such a way; — servir have served; — son entrée *see* entrée; — sortir have brought out; — une guerre carry on a war; — une promenade take a trip; — un repas have a meal; — venir *see* venir; — voir show; se —, make oneself; be done; (*imp.*) happen; se — mal get hurt; se — préparer have prepared for oneself; se — servir have served to oneself; se — tuer let oneself be killed; qu'est-ce que ça peut vous —? what difference does that make to you?

fait *m.* act, action; fact; incident; tout à —, *see* tout

falaise *f.* cliff

falloir (*imp.*) to be necessary, have to, need

famille *f.* family

fatigue *f.* fatigue, weariness

fatigué tired, weary

faune *f.* fauna, animal life

fauteuil *m.* armchair, easy chair

faux, fausse false; Faux *river of the Filifers*

favori, -te favorite

féliciter to congratulate

féminin feminine

femme *f.* woman; wife

fenêtre *f.* window

fer *m.* iron; chemin de —, *see* chemin; rideau de —, *see* rideau

ferme *f.* farm

fermer to close, enclose; close off; se —, close

fermeté *f.* firmness

féroce ferocious, savage

fête *f.* feast, festival, festivity; salles des —s *see* salle

fêter to fête, entertain

feuille *f.* leaf; sheet

fier, fière proud

figurer to appear

fil *m.* thread; wire; — d'acier steel wire

fil-de-fer *m.* iron wire; (*fam.*) wire

Fil-de-la-Faux *city of the Filifers* (*cf.* fil thread, faux scythe)

filet *m.* small thread

fileter to cut a thread (*of a screw*)

Fili *abbrev. for* Filifer

Filifer *m. inhabitant of imaginary country* (*cf.* fil wire, fer iron, *indicating extreme slenderness*)

filifer of the Filifers

filiférien, -ne of the Filifers, Filiferian

Filiférienne *f.* Filifer woman

filifero-patapouvien, -ne of the Filifers and Patapoufs

Filigrad *m. capital city of the Filifers* (*cf.* Stalingrad, *etc.*)

Filiport *seaport of the Filifers* (*cf.* port port)

Filipouf *name given by the Filifers to island in the sea which separates the Filifers and the Patapoufs*

Fili-sur-Anguille *native village of General Tactifer, on Anguille River, but too small to figure on map* (*cf.* anguille eel, fil thread)

fille *f.* girl; jeune —, girl, young woman

film *m.* film, moving picture

Filofos, Félix *historian of the Filifers* (*cf.* philosophe philosopher)

fils *m.* son

[148]

Fil-sur-Mer *m. seaside city of the Filifers (cf.* **Boulogne-sur-Mer,** *etc.*)

fin *f.* end; **mettre — à** to bring to an end; **sans —,** endlessly, endless

finir to finish; **— par** end up by

flamme *f.* flame

flanc *m.* side

flatter to flatter

flatteur, –euse flattering, complimentary; **peu —,** uncomplimentary

fleur *f.* flower; **en —s** in bloom

fleuri flowering

fleuve *m.* river (*which flows into the sea*)

flot *m.* wave; *pl.* (*fig.*) water

flotte *f.* fleet; navy

flotter to float; **— dans ses vêtements** have one's clothes hang on one

Flutifer *national hero of the Filifers (cf.* **flûte** flute, **fer** iron)

fois *f.* time; **à la —,** at the same time, both; **une — de plus** once more; **une — encore** once more

fonctionnement *m.* functioning

fond *m.* bottom; back, further end; **— des mers** bottom of the sea; **au —,** in the main, at bottom, at heart

fondamental fundamental

fonder to found, establish

Fontainebleau, forêt de *famous forest near Paris*

force *f.* force; *pl.* might, strength

forcer to force, compel

forêt *f.* forest

formalité *f.* formality

forme *f.* form, shape; **en — de**

in the shape of; **en — de ballon** balloon-shaped

former to form, make; **se —,** be formed

fort strong, robust, sturdy; heavy

fort strongly, strong, very

forteresse *f.* fortress

fortifier: se —, to fortify oneself

fou, folle *m. and f.* mad person

fou, fol, folle crazy

Foufoupa, Lac *lake of the Patapoufs*

foule *f.* crowd

fournir to furnish

fr. *abbrev. for* **franc**

frais, fraîche fresh, cool

franc *m.* franc (*French coin, normally worth about 20 cents*); **0 fr.5735** = 57.35 centimes

Français, –e *m. and f.* Frenchman, French woman

français French

frapper to strike; impress

frère *m.* brother

froisser to crumple

fromage *m.* cheese; **gâteau au —,** *see* **gâteau**

frontière *f.* frontier, border; *adj.* frontier

frotter to rub

fumant smoking, steaming

fumer to smoke; **défense de —,** *see* **défense**

fureur *f.* fury, passion; vogue

furieux, –euse furious, angry

G

gage *m.* security, pledge

gagner to earn; gain; win over

gai gay, merry

gaiement gaily

gaieté *f.* gaiety, cheerfulness
garantir to guarantee
garçon *m.* boy
garde *f.* guard
garde-manger *m.* pantry, larder
garder to keep; se — de take
care not to
gardien, –ne *m. and f.* guardian,
employee
gare *f.* railway station
gâteau *m., pl.* –x cake; — au
fromage cheese cake
gauche left; à —, on the left, to
the left
gaz *m.* gas
géant *m.* giant
gémir to groan, moan
gendarme *m.* policeman
général *m., pl.* –aux general; *adj.*
general; en —, in general
généralement generally
Gênes Genoa (*city in northern
Italy*)
Genève Geneva (*city in Switzer-
land, seat of League of Nations*)
génie *m.* engineering
genou *m., pl.* –x knee
genre *m.* kind
gens *m. or f. pl.* people; — de
bien good people
gentil, –le nice, kind
gentillesse *f.* graciousness
gentiment in a kindly way, graciously
géographie *f.* geography
géographique geographic; carte
—, *see* carte
glacé glazed; marron —, *see*
marron
glisser to slip, slide, slide down
globe *m.* globe; — électric electric-
light bulb; electric light

gloire *f.* glory
glorieux, –euse glorious
golfe *m.* gulf
gonflé inflated, swollen
gorgée *f.* mouthful
gourmandise *f.* greediness, glut-
tony; *pl.* good food, delicacies
goût *m.* taste; — du confort taste
for comfort; prendre — à to
acquire a taste for
gouvernement *m.* government
gouverner to govern
gr. *abbrev. for* gramme
grâce *f.* grace; — à thanks to
gracieusement graciously
gramme *f.* gram
grand great, big; tall; avoir —
faim *see* faim; Grand Cuisinier
Great (High) Cook
grandement largely
grandir to increase, grow greater
Grand-Patati *m. chief of the Patas
in nineteenth century*
Grapouf *m. a Patapouf doctor*
gras, –se fat
grave grave, serious
grenadine *f.* pomegranate drink
grimper to climb (up)
gris *m.* grey; *adj.* grey
grommeler to grumble
gros, –se big, stout, fat, heavy
groseille *f.* currant; — rouge red
currant; — verte gooseberry;
sirop de —s red currant drink
grossir to enlarge, magnify; get
stouter
grotte *f.* grotto
groupe *m.* group
guerre *f.* war; c'est la —, it's war;
matériel de —, *see* matériel
guerrier *m.* warrior, soldier; guerrière *f.* woman warrior

guichet *m.* ticket window
gymnastique *f.* gymnastics

H
(* *indicates aspirate h*)

h. *abbrev. for* heure
habitant *m.* inhabitant; loger chez l'—, to be billeted in the homes
habiter to inhabit
habitude *f.* custom, habit; prendre l'—, *see* prendre
habituel, –le usual, customary
habituer to accustom; s'—, become accustomed
*haine *f.* hatred
*haïr to hate
*haut high; tall; — de six mètres six meters high; à —e voix *see* voix; en —, on top; en — de at the top of
*hauteur *f.* height; à trois mètres de —, three meters high, three meters up
hélice *f.* propeller
*héros *m.* hero
hésiter to hesitate
heure *f.* hour; o'clock; à l'—, on time, on schedule; n'importe quelle —, *see* importer; 15 —s 3:00 P.M.; toutes les —s every hour; un quart d'—, *see* quart
heureusement fortunately
heureux, –euse happy, fortunate
*hisser to hoist up, pull up; se —, pull oneself up
histoire *f.* history; story; faire des —s to make a fuss; livre d'—, *see* livre
historique historical; Académie —, Academy of History

*homard *m.* lobster
homme *m.* man; — comme tout le monde ordinary man; — d'état *see* état
*Hongrie *f.* Hungary
honneur *m.* honor; être à l'—, to be honored; rendre les —s *see* rendre
*honte *f.* shame
horaire hourly
horreur *f.* horror; avoir — de to have a horror of
hôtel *m.* hotel; — de ville town hall
*hou *inter., (imitating howl of the wolf)* boo!; here! here!
huissier *m.* doorkeeper, usher
*huitième eighth
huître *f.* oyster
humain human
humeur *f.* humor, spirit, disposition
hydraulique hydraulic
hymne *m.* song, patriotic song; Hymne Mince du grand Flutifer *national anthem of the Filifers, composed by Flutifer (cf.* flûte flute, fer iron); Hymne Obèse de Grabski-Korsapouf *national anthem of the Patapoufs (cf.* obèse corpulent)

I

ici here
idée *f.* idea
idiot stupid, absurd, idiotic
ignorant *m.* ignoramus, dunce
île *f.* island; isle
illustre illustrious, renowned
illustrer to illustrate
image *f.* picture

imbécile imbecile, half-witted
imiter to imitate
immédiatement immediately
immémorial, *pl.* –aux immemorial
impatiemment impatiently
impeccable impeccable, faultless
impitoyable pitiless, without mercy
importance *f.* importance; **cela n'a pas d'—,** that doesn't matter
importer to import; **n'importe quelle heure** any hour whatsoever
imposer to impose
impôt *m.* tax
imprévu unforeseen, unexpected
imprudence *f.* imprudence, rashness
inaugurer to inaugurate
inconnu *m.* unknown person, stranger; *adj.* unknown
inconvénient *m.* drawback
incroyable unbelievable
indécent indecent, improper
indépendant independent
indiquer to indicate, point out
indiscret, –ète indiscreet
industrie *f.* industry; **—s privées** private industry
inébranlable unshakable
inexactitude *f.* inaccuracy, inexactitude
infanterie *f.* infantry
influence *f.* influence
ingénieur *m.* engineer
ingrat ungrateful
innombrable numberless, innumerable
inonder to inundate, cover

inquiet, –ète apprehensive, worried
inquiétude *f.* uneasiness; **avec —,** anxiously
inscrire to write down
insensible indifferent
insolent insolent, impertinent
inspecteur *m.* inspector
inspirer (à) to inspire (in)
installer to install, establish
instant *m.* moment, instant; **depuis un — déjà** *see* depuis
institut *m.* institute, institution; **— d'obésité** institution for fattening
instrument *m.* instrument; **— de mesure** measuring instrument
intact intact, unbroken
intelligence *f.* understanding; **vivre en bonne —,** to live on good terms
intendance *f.* commissariat, quartermaster's department
interdire to forbid; **sens interdit** *see* **sens**
intéressant interesting
intéresser to interest
intérêt *m.* interest; advantage; **dans leur —,** for their good
intérieur *m.* interior, inside
interroger to question
interrompre to interrupt
intervenir to intervene
introduire to introduce
inventer to invent
invincible invincible, unconquerable
inviter to invite
ironique ironical
irriter to irritate; **s'—,** become irritated
Italie *f.* Italy

J

Jacques James
jadis formerly
jalousie *f.* jealousy
jaloux, –ouse jealous
jamais ever; never; **ne . . . —,**
never
jambonneau *m., pl.* **–x** small ham
janvier *m.* January
jardin *m.* garden
jaune yellow; **Mer Jaune** *sea
separating the Filifers and the
Patapoufs*
Jeanne d'Arc Joan of Arc
jetée *f.* jetty, pier
jeter to throw; **— un coup d'œil**
cast a glance; **se —,** throw oneself, rush
jeu *m., pl.* **–x** game, pastime
jeune young
jeunesse *f.* youth; young people
jeûneur *m.* one who fasts, faster
joie *f.* joy
joli pretty
joue *f.* cheek
jouer to play; **— à** play (*a game*)
jouet *m.* plaything, toy
joufflu chubby, bulgy
jouir (de) to enjoy
jour *m.* day; **huit —s** a week; **par
—,** per day, a day; **tout le —,**
the whole day; **tous les —s**
every day; **un —,** some day
journal *m., pl.* **–aux** newspaper
journée *f.* day; **toute la —,** the
whole day
joyeusement gaily
joyeux, –euse joyous, gay
juger to judge
juillet *m.* July
juin *m.* June

jumeau, –elle *m. and f., adj. and
n., m. pl.* **–eaux** twin; **deux —x**
twins
jurer to swear
jusque up to; until; **jusqu'à** to,
up to, all the way to, as far
as to
juste just, fair, right; **au —,** precisely
justement justly, deservedly; just

K

k. *abbrev. for* **kilogramme**
kg. *abbrev. for* **kilogramme**
kilo *m. short form for* **kilogramme**
kilogramme *m.* kilogram (*2.2
pounds*)
kilomètre *m.* kilometer (*0.624
miles*)

L

là there; here; **— dedans** therein;
ci et —, *see* **ci; de —,** whence;
en être —, *see* **être; loin de —,**
see **loin**
lac *m.* lake; **Lac Foufoupa** *lake of
the Patapoufs*
lâche cowardly
lâchement in a cowardly way;
indolently
lâcher to let go (*one's hold*)
lâcheur, –euse *m. and f.* (*fam.*)
unreliable person, quitter
là-dessus on that, in that matter
là-haut up there
La Haye The Hague (*city in Hol-
land*)
laisser to let, permit, allow;
leave; **— faire** leave alone, let
one do as one wishes
lait *m.* milk; **— de poule** *see*

poule; café au —, see café;
cochon de —, see cochon
lambin m. poke, dawdler
lame f. blade, strip; — de couteau knife blade; — de lumière
streak of light
lampe f. lamp; light; electric-light
bulb; — à pétrole see pétrole
lancer to toss, throw
lapider to stone to death
Lapouf family name of a Patapouf historian
large m. width; open sea; au —
du cap off the cape; avoir 50
centimètres de —, to be 50
centimeters wide; adj. wide,
broad
largeur f. width
larme f. tear
lécher to lick
leçon f. lesson
lecture f. reading
léger, –ère light, slight
légèrement slightly, lightly
lendemain m. the next day; —
matin next morning
lent slow
lentement slowly
lenteur f. slowness; avec —,
slowly; avec une grande —,
very slowly, with great delib-
eration
lequel, laquelle, pl. lesquels,
lesquelles who, which
lettre f. letter
lever to raise, lift; se —, get up
lévrier m. greyhound
liberté f. liberty
librement freely
lieu m., pl. –x place; avoir —,
to take place
lieue f. league (2½ English miles)

lieutenant m. lieutenant; harbor
master (term used in connection
with a small harbor)
ligne f. line; railway line; tête de
—, see tête
liquide m. liquid, drink
lire to read
lisière f. edge
liste f. list
lit m. bed
livre m. book; — d'histoire history book
livrer to deliver; — bataille give
battle; se — à give oneself
over to, occupy oneself with
Locarno Locarno (city in Switzer-
land)
loger to lodge; — chez l'habitant
see habitant
loi f. law
loin far; far away; — de là far
from it
Londres London
long m. length; le — de along
long, –ue long
longtemps long; a long time, for
a long time
longuement for a long time, at
length
longueur f. length
lors de at the time of
lorsque when
louer to rent
loupe f. magnifying glass, reading
glass
lourd heavy
lourdement heavily
loyal, pl. –aux honest; loyal,
faithful
Luffempouf, musée de museum
of the Patapoufs (cf. musée du
Luxembourg in Paris)

lumière *f.* light
lumineux, –euse luminous, brilliant
lune *f.* moon
lycée *m.* school (*corresponding in part to the American grammar school, high school, and college*)

M

machine *f.* machine, engine; — à **calculer** adding machine; **bruit de** —, noise of machinery
madame *f.* Mrs.
madeleine *f.* madeleine (*kind of French cake*)
magasin *m.* store
magnifique magnificent
mai *m.* May
maigre thin
maigreur *f.* leanness, slenderness
maigrir to grow thin, lose weight
main *f.* hand; à **pleine** —, *see* **plein**; se **serrer la** —, *see* **serrer**
maintenant now
maintenir to maintain
mais but; why; — **non** oh! no
maison *f.* house; home; — **de régime** *see* **régime**
maître *m.* master; —**-d'hôtel** head waiter
majesté *f.* majesty
majoration *f.* increase (*in price*)
majorité *f.* majority
mal *m.* harm; — **de mer** *see* **mer**; **avoir du** — à to have difficulty in; **dire du** — **de** speak ill of; se **donner du** —, *see* **donner**; se **faire** —, *see* **faire**
mal badly; **aller** —, *see* **aller**
malade *m.* ill person, invalid; *adj.* ill

maladroit clumsy
malentendu *m.* misunderstanding
malgré in spite of
malheur *m.* misfortune; bad luck; unfortunate thing
malheureusement unfortunately
malheureux, –euse unhappy; unfortunate, luckless
malsain unhealthy, unwholesome
maman *f.* mamma, mother
mandarine *f.* tangerine
manger to eat; **salle à** —, *see* **salle**
manière *f.* manner, way, fashion
manifester to manifest
manœuvre *f.* maneuver, tactics; —**s** maneuvers
Marapouf *noted brand of oysters among the Patapoufs*
marchand *m.* merchant
marche *f.* step (*of a stairway, etc.*)
marché *m.* market; **place du** —, market place
marcher to walk; move, go, travel; pass (*of time*); operate, run
maréchal *m., pl.* –**aux** field marshal
mari *m.* husband
mariage *m.* marriage
marin *m.* sailor
marine *f.* the sea service; navy; **régiment de** —, naval force
marmotte *f.* marmot, woodchuck, ground hog
marque *f.* mark
marron *m.* chestnut; — **glacé** sugar-coated chestnut
Marseille Marseilles (*port in southern France*)
masse *f.* mass, crowd
masser to mass; se —, crowd, mass

Matapouf *see* **cap**

matelot *m.* sailor, seaman

matériel *m.* stock; — **de guerre** war material

matin *m.* morning; **8 heures du** —, 8 o'clock in the morning

mauvais bad

maxim. *abbrev. for* **maximum**

mécanique mechanical

méchanceté *f.* wickedness; spitefulness

méchant wicked; mean

mécontenter to displease

médecin *m.* doctor

méfiance *f.* distrust

meilleur *compar. of* **bon**

mélange *m.* mixture, mingling

mêler to mix, involve; **être mêlé à** take part in

melon *m.* melon

membre *m.* member

même same; self; very; **elle-**—, she herself; **en — temps** *see* **temps; le** —, the same (person)

même even; **tout de** —, all the same, for all that

ménage *m.* household, family

menteur, –euse *m. and f.* liar

menton *m.* chin

menu *m.* bill of fare, menu

mépris *m.* scorn

mépriser to scorn

mer *f.* sea; **en** —, at sea; **mal de** —, seasickness

mère *f.* mother

merveille *f.* marvel, wonder; **à** —, marvelously

merveilleux, –euse marvelous

messieurs *pl. of* **monsieur**

mesurer to measure

méthode *f.* method

mètre *m.* meter (*3.281 ft.*)

métro *m.* *short form for* **métropolitain**

métropolitain *m.* Paris subway

mets *m.* dish (*of food*)

mettre to put, place; put on; — **en pratique** execute; — **fin à** *see* **fin; se** — **à** begin; **se** — **au travail** begin work

midi *m.* noon; **repas de** —, noon meal

mieux *compar. of* **bien; regarder** —, to look more carefully; **valoir** —, *see* **valoir**

milieu *m.* middle, midst; **au** — **de** in the midst of, in the middle of

militaire military

mille thousand

mince slender, thin

mine *f.* appearance, look

ministère *m.* ministry, office, department (*of government*)

ministre *m.* minister

minute *f.* minute

mixte mixed

mobile mobile, moving; **escalier** —, *see* **escalier**

mode *f.* manner; style; **à la** — **patapouvienne** in the Patapouvian manner

modèle *m.* model

modifier to modify

mœurs *f. pl.* manners, customs

moindre less; **le** —, the least

moins less; — **de** (*fol. by numeral*) less than; — **que** less than; **au** —, at least; **du** —, at least

mois *m.* month

moitié *f.* half

moment *m.* moment; date; — **de Noël** Christmas time; — **des repas** mealtime

monarchie *f.* monarchy

monarque *m.* monarch

monde *m.* world; people; **homme comme tout le —**, *see* **homme; tout le —**, everybody

monnaie *f.* money (*of small denominations*)

monotone monotonous

monseigneur *m.* Your Grace, Your Highness, My Lord

monsieur *m., pl.* **messieurs** Mr., sir; gentleman

mont *m.* mount, mountain

montagne *f.* mountain

montée *f.* ascent

monter to climb up, mount; rise; ride (*of a horse*); **— dans** get into; **— mal** be a poor horseman, ride badly

montre *f.* watch

montrer to show; **se —**, show oneself, appear

moquer to mock; **se — de** make fun of

moqueur, –euse mocking, scornful

morceau *m., pl.* **-x** piece

mort *f.* death

mot *m.* word

mou, mol, molle, mous soft

mouchoir *m.* handkerchief

mouillé at anchor

mourir to die

mousse *f.* moss

mouvement *m.* movement, motion

moyen *m.* means, way

moyen, –ne average

munir (de) to equip (with), provide (with)

mur *m.* wall

musée *m.* museum

musicien, –ne *m. and f.* musician

musique *f.* music; band

N

nager to swim

naïf, –ïve artless, naïve

naissance *f.* birth; extraction, family

naître to be born (*p. part.* **né**)

nappe *f.* tablecloth

national, *pl.* **-aux** national

nature *f.* nature; **de —**, by nature

naturellement naturally

ne ... que only; **le déjeuner n'est que dans une heure** it's an hour before lunch

nerf *m.* nerve

nettement clearly

neutre neutral

neuvième ninth

nez *m.* nose

ni nor; **— ... —**, neither ... nor

nickelé nickel-plated

nid *m.* nest; **— d'abeilles** *see* **abeille**

noblesse *f.* nobility

Noël *m.* Christmas

noir black

nom *m.* name; **au — de** in the name of, in behalf of

nomades *m. pl.* wandering tribes, nomads

nombre *m.* number

nombreux, –euse numerous

nommer to name; appoint; **se —**, be named

non no; not; **— pas** not

nord *m.* north; *adj.* north

normal, *pl.* **-aux** normal

nota *m.* footnote

note *f.* note; memorandum

noter to make note, note, jot down

nouilles *f. pl.* noodles

nourrir to feed

nourriture *f.* food; regime

nouveau, −el, −elle, *m. pl.* −x new; à —, again; de —, again

nouveauté *f.* innovation

nouvelle(s) *f.* news

nuit *f.* night

O

obéir (à) to obey

Obésapouf *first king of the Patapoufs* (*cf.* obèse fat, corpulent)

obésité *f.* obesity, corpulence; instItut d'—, *see* institut

objet *m.* object

obscurité *f.* darkness

obséder to obsess

observer to observe, watch; comply with

obtenir to obtain, procure; — de prevail upon

obus *m.* shell; bomb

occupé busy

occuper to occupy, take possession of; s'— de occupy oneself with

octobre *m.* October

œil *m.*, *pl.* yeux eye; à vue d'—, visibly; coup d'—, glance

œuf *m.* egg; — dur hard-boiled egg

œuvre *f.* work

officiel, −le official

officier *m.* officer

offrir to offer

on one, a person, we, they

onzième eleventh

opérer to operate, function; s'—, take place

opposé opposite

or *m.* gold; d'—, in gold, of gold

or now

ordinaire *m.* daily fare

ordre *m.* order; command

oreille *f.* ear

organisateur *m.* organizer

orgeat *m.* orgeat; syrop d'—, orgeat drink (*made of orange-flower water and an emulsion of almonds or barley*)

orgueil *m.* pride

orgueilleux, −euse proud

oriflamme *f.* oriflamme (*flag of French kings used by them from 1121 to 1415, red ground strewn with flames of gold, long and narrow, ending in two points. See ill., p. 46*)

origine *f.* origin

orner to adorn

os *m.* bone

oser to dare

osier *m.* wicker

osseux, −euse bony, scrawny

ou or

où where; when; d'—, whence

oublier to forget

ouest west

oui yes

ourlet *m.* hem; edge of crater; Chaîne de l'Ourlet *see* chaîne

outre *f.* goatskin bottle

ouverture *f.* opening

ouvrage *m.* work; —s de protection defence works

ouvrier, −ère *m. and f.* workman

ouvrir to open; s'—, open (out)

P

Pabourg *seaside town of the Pata-*
poufs (cf. **bourg** market town)
pacifique peaceable, pacific
pacifisme *m.* pacifism
Paf, Le *peak of the Patapoufs*
paiement *m.* payment; **contre —,**
for pay
pain *m.* bread; loaf of bread; —
au raisin raisin bread
paisible peaceful
paix *f.* peace; peace treaty
palais *m.* palace
pâle pale
pâlir to grow pale
pan- pan-, universal; **Pan-Sous-**
Solienne United Kingdom Under the Earth
panier *m.* hoop
panneau *m., pl.* **-x** panel; bill-
board
papier *m.* paper
paquebot *m.* steamer, ocean liner
par by, for, through; per; because
of
paraître to appear; seem
parce que because
parcourir to travel through, go
through
pardonner to pardon, forgive
paresse *f.* laziness
paresseux, -euse lazy
parfait perfect
parfois sometimes
parlement *m.* parliament
parler to talk, speak; **trouver à**
qui —, *see* **trouver**
parmi among; from among
parole *f.* word; **la — est au pro-**
fesseur the professor has the
floor

part *f.* part; **d'autre —,** on the
other hand; **de la — de** on behalf of; from, coming from
partager to divide; share; **se —,**
divide oneself
parti *m.* party
particulier, -ère peculiar; special
partie *f.* part; game, match; **faire**
—, to be a part, form a part,
be a member
partir to leave
partout everywhere
pas *m.* step; **à grands —,** with
long strides
pas not; no; **ne ... —,** not; **non**
—, *see* **non**
passager *m.* passenger
passeport *m.* passport
passer to pass, go, proceed;
spend; go through, pass
through, get through; **— pour**
have the reputation of; **se —,**
take place, happen; **se — de**
get along without; **se — l'un**
de l'autre get along without
each other
passerelle *f.* footbridge; gangplank; captain's bridge
Pata *name of tribe which in-*
vaded land of Pouf in ninth
century
Pata *abbrev. for* **Patapouf**
pata *adj.* Patapouvian
Pataburg *capital city of the Pata-*
poufs (cf. **bourg** market town)
Pataburgie *f. plain in north of*
country of the Patapoufs
Patafer *name given by the Pata-*
poufs to island in the sea which
separates the Filifers and the
Patapoufs
Patafiole *seaport on the boundary*

between the Patapoufs and the Filifers (*cf.* **fiole** vial)

Pataplage *seaside town of the Patapoufs* (*cf.* **plage** beach, seashore)

Pataport *seaport of the Patapoufs* (*cf.* **port** port)

patapouf *m. neolog. fat person* (*cf.* **pouf** puff, *indicating corpulence*)

patapouf, –ve of the Patapoufs, Patapouvian

Patapoum *see* **cap**

Patapouvia *country of the Patapoufs*

patapouvien –ne of the Patapouf, Patapouvian

patapouvo-filifériens, –ne of the Patapoufs-Filifers

pâtisserie *f.* pastry shop

pâtissier, –ère *m. and f.* pastry cook

patrie *f.* country; native land

pauvre poor; unfortunate; wretched

Pave *river of the Patapoufs*

pavoiser to deck (*with flags*)

payer to pay, pay for

pays *m.* country

paysage *m.* landscape, scene

paysan, –ne *m. and f.* peasant

peau *f.* skin

pêche *f.* peach

pêcher peach tree

pédant *m.* pedant, prig

peine pain, grief; difficulty; à —, scarcely, very little; âme en —, *see* **âme**; être à la —, to be in distress, be in trouble

pendant during, for; — **que** while

pendre to hang

pénible distressing

pensée *f.* thought; opinion; **avoir la** —, to have the idea

penser to think; consider; — **à** think about; **faire** — **à** make one think of, remind one of

pension *f.* board and lodging

pente *f.* slope

perdre to lose

père *m.* father

permettre to permit, allow

personnage *m.* personage; person, individual; dignitary, person of rank

personne *f.* person, individual

personne someone, anyone; **(ne) . . .** —, no one

personnel, –le private

pesage *m.* weighing, being weighed

peser to weigh

petit little

pétrole *m.* petroleum, oil; **lampe à** —, oil lamp; **style lampe-à-** —, oil lamp style

peu little; — **à** —, gradually; — **de temps** soon; **à** — **près** *see* **près**; **un** —, a little, somewhat

peuh pooh!

peuple *m.* nation, people; common people, the masses

peuplier *m.* poplar

peur *f.* fear; **avoir** —, to be afraid

peureux, –euse timid

peut-être perhaps

phare *m.* lighthouse

Philafil *m. city of the Filifers* (*cf.* Greek, **philos** loving, fond of, **fer** iron)

photographie *f.* photograph

phrase *f.* sentence

physique physical

physiquement physically

pianoter to drum, tap with one's fingers

pic *m.* mountain peak; **Pic de l'Aiguille** *peak of the Filifers* (*cf.* **aiguille** needle)

pièce *f.* piece, part; — **d'automobile** automobile part

pied *m.* foot

pierre *f.* stone

Pif, Le *peak of the Patapoufs*

pincer to pinch

Pinioufs *see* **chaîne**

Piqûre *see* **col**

pire worse

piston *m.* piston; **tige de** —, *see* **tige**

pitié *f.* pity; **sans** —, mercilessly

place *f.* position; place, room; seat; public square; — **assise** seat

plage *f.* beach, seashore

plaine *f.* plain

plaire to please; **s'il vous plaît** if you please, please

plaisant amusing; silly

plaisanter to joke

plaisir *m.* pleasure; **avoir** — **à** to have pleasure in

plaque *f.* plate; — **tournante** turntable (*circular platform for switching locomotives and, in France, for dropping off cars as train approaches station*)

plat *m.* dish (of food); *adj.* flat

plébiscite *m.* plebiscite, referendum

plein full, complete; **à** —**e main** freely, with both hands; **en** — **air** in the open air

pleurer to weep, cry

pli *m.* fold

Ploutifer *name of wealthy Pata-pouf engineer* (*cf. Greek* **plouto-** *from* **ploutos** wealth, **fer** iron)

plume *f.* pen; **portrait à la** —, *see* **portrait**

plupart *f.* majority

plus more; — **de** (*fol. by numeral*) more than; — ... —, the more ... the more; — **haut que** higher than; **de** — **en** —, more and more; **jours de** —, additional days; **le** —, most; **ne** ... —, no longer; **ne** ... — **jamais** never again; **ne** ... — **que** nothing more than, nothing more except; **un de** —, one more

plusieurs several

plutôt rather; — **que** rather than

pneu *m.* tire

pneumatique *m.* tire

poche *f.* pocket

poids *m.* weight

poing *m.* fist; **coup de** —, punch, cuff

point *m.* point, dot; speck; **à quel** —, to what an extent

pointe *f.* point (of land); **Pointe du Fil** *point of land of the Filifers* (*cf.* **fil** thread)

pointillé *m.* dotted line

pointu pointed, peaked

pois *m.* pea

poitrine *f.* chest; **tour de** —, *see* **tour**

politique *f.* policy; politics

Pologne *f.* Poland

pomme *f.* apple; — **de terre** potato

ponctualité *f.* punctuality

pont *m.* bridge; deck

porc-épic *m.* porcupine; **au** —, at the sign of the porcupine port *m.* harbor, port

portant *m.* bearing; **bien —,** in good health, well

porte *f.* door

portée *f.* reach; **à — de ma voix** within hearing

Port-Épic *m. city of the Filifers* (*cf.* **porc-épic** porcupine)

porter to carry; bear

porteur *m.* porter, luggage porter

portrait *m.* portrait; **— à la plume** pen picture, description

poser to put, place; ask, raise (*of questions*); **se —,** ask oneself; **une question se pose a** question exists

poste *f.* post office; **—s et télégraphes** post and telegraph office (service)

poste *m.* post, position; **— de radiophonie** radio station

pouf *m.* puff; ottoman; **Pouf** *name of first inhabitants of country of the Patapoufs; mountain peak of the Patapoufs; name of a field marshal of the Patapoufs*

poule *f.* hen; **lait de —,** eggnog

poulet *m.* chicken

poum *word imitating sound of machinery*

pour for; to, in order to; as

pour que in order that, so that, that

pourquoi why

pourtant however, nevertheless, yet

pourvu que provided that; if only

pousser to push; **— un cri** utter a cry

Pouve *f. river of the Patapoufs;* **Grande —, Petite —,** *other Patapouf rivers*

Pouvelle *f. river of the Patapoufs* (*diminutive of* **Pouve**)

Pouvie *f. original name of country of the Patapoufs*

Pouville *seaside city of the Patapoufs*

pouvoir *m.* power

pouvoir to be able, can; be capable of; **pouvant** able

prairie *f.* meadow

pratique *f.* practice; **mettre en —,** *see* **mettre;** *adj.* practical

précédent previous, former, preceding

précieux, **–euse** valuable; **ce qu'il y a de plus —,** *see* **avoir**

précipiter: **se —,** to dash

préféré favorite

préférer to prefer

premier, **–ère** first; first (*in one's class at school*)

prendre to take, get; assume; capture; **— au sérieux** take seriously; **— goût à** *see* **goût;** **— l'habitude** form the habit; **—une décision** make a decision

préparatoire preparatory

préparer to prepare, prepare for; **se —,** prepare (oneself), get ready

près near; **— de** nearly, near; **à peu —,** nearly, almost

présage *m.* omen

présenter to present, offer

présidence *f.* presidency

présider to preside over, head (*a party*)

presque almost

presse *f.* press

prêt ready

prétendre to pretend; claim, claim the right to

prétention *f.* claim, pretention

prêter to loan; **se — à** be a party to

prêtre *m.* priest

preuve *f.* proof; **faire — de** to give evidence of

prévenir to inform, let know

prier to beg, request

primitif, –ive primitive

princesse *f.* princess

principal *m., pl.* **–aux** leader; *adj.* principal, leading, main

printemps *m.* spring

prise *f.* hold, grip; (*generally pl.*) **peu de —,** little to hold to, little contact, little to serve as a target

prisonnier, –ière *m. and f.* prisoner

privé private

priver to deprive

prix *m.* price

problème *m.* problem

proche near

prodigieusement prodigiously

produire to produce

professeur *m.* professor

profiter (de) to profit by, take advantage of

promenade *f.* walk; trip, excursion; **— en mer** ocean voyage

promener: se —, to walk

promettre to promise

prononcer to pronounce, utter; **— un discours** deliver a speech

propos *m.* purpose; **à — de** with respect to

proposer to propose, suggest

proposition *f.* proposal

propre own, very

protection *f.* protection; **ouvrages de —,** *see* **ouvrage; valeur de —,** *see* **valeur**

protéger to protect; **se —,** protect oneself

protester to protest

prouver to prove

prudent careful

public, –ique public

puis then, next

puisque since

puissance *f.* power

punir to punish

pur pure, pure-blooded

purement purely, strictly

Q

quai *m.* quay, wharf

qualité *f.* quality; good quality

quand when

quant à as for

quantité *f.* quantity

quart *m.* quarter; **un — d'heure** quarter of an hour

quartier *m.* quarter, district

quatrième fourth

que that; when; than (*in comparison*); **— . . . !** how . . . ! *interrog. pron.* what; **qu'est-ce — c'est?** what is it? **aussi . . . —,** *see* **aussi; ne . . . —,** *see* **ne**

quel which, what

quelque some; *pl.* some, a few

quelquefois sometimes

quelqu'un, –e, *pl.* **quelques-uns, quelques-unes** someone, some

quereller to quarrel; **se —,** quarrel

qu'est-ce que what? **— ça peut vous faire?** *see* **faire; — c'est?** what is (that)? **— c'est que ça?** what is that?

question *f.* question; **être — de** to be a question of

quinquina *m.* quinquina; tonic wine, appetizer

quinze fifteen; — jours two weeks

quitter to leave

quoi what; — que ce soit anything whatsoever

R

race *f.* race

raconter to relate, tell, tell about

radiodiffuser to broadcast

radiophonie *f.* wireless, radio; poste de —, *see* poste

rail *m.* rail

raisin *m.* grapes; pain au —, *see* pain

raison *f.* reason; avoir —, to be right; avoir — de have reason (cause) for

raisonnable reasonable, sensible

ralliement *m.* rallying; cri de —, rallying cry

Raloucoum-sur-Pouve *city of the Patapoufs* (*on Pouve River*)

ramener to bring back

ramer to row

Rampata *name of a Patapouvian professor of history, president of their Academy of History*

rang *m.* rank

ranger to bring, put

rapatriement *m.* repatriation

rapide rapid, quick

rapidement rapidly

rapidité *f.* rapidity, speed

rappeler to recall; remind (one) of; se —, remember

rapporter to bring back; s'en — à rely on

rapproché close together

rare rare, unusual; scarce

ration *f.* ration

rationnement *m.* rationing

rattacher: se — à to be connected with

ravi (de) delighted (with), charmed (with), entranced (with)

ravir to delight

ravissant delightful, ravishing

ravitaillement *m.* provisioning (*with food, equipment, etc.*)

réaliser to carry out, accomplish; bring into being, create

réalité *f.* reality; en —, as a matter of fact

réception *f.* reception; welcome; faire une —, to give a welcome

recette *f.* recipe; — de cuisine cooking recipe

recevoir to receive; — la visite de quelqu'un *see* visite

recherche *f.* search; à leur —, in search of them

récit *m.* recital, account

réclamer to complain, lodge a complaint; demand

récompense *f.* reward, treat

récompenser to reward

reconduire to reconduct

reconnaissable recognizable

reconnaissant grateful

reconnaître to recognize; recognize the fact

reconstituer to rebuild

recouvrir to cover

reddition *f.* surrender

réduire to reduce, diminish

réellement really

refaire to make again; — la guerre make war again

réfléchir to reflect; ponder, consider, think

réforme *f.* reform

refuser to refuse, decline; se — à set one's face against, refuse to

regarder to look, look at, watch; se —, look at each other

régime *m.* rule; diet; regime; maison de —, establishment for persons following a diet

règlement *m.* regulation; — de cuisine en plein air equipment for cooking out of doors; — de manœuvre regulation for maneuvers

régler to regulate

réglisse *f.* liquorice

régner to reign; prevail

regretter to regret, be sorry

rejoindre to rejoin

réjoui jovial, merry

relatif, –ive (à) pertaining to, concerning

relever to pick out

relier to connect

remarquable remarkable, notable

remarquer to notice, observe

remédier (à) to remedy

remonter to remount (*a horse*)

remplacer to replace

remplir to fill

rencontrer to meet; se —, meet

rendez-vous *m.* rendezvous, appointment; donner un —, to make an appointment

rendre to render; make; — les honneurs do the honors; — visite à visit; se —, proceed; make oneself, become

renoncer (à) to give up

renseigner to inform; se —, inform oneself

rentrer to go back, return, go back home

renverser to overthrow

répandre to spread, diffuse; pour out

réparer to repair

repas *m.* meal; — de midi *see* midi; moment des —, *see* moment

répéter to repeat

répondre (à) to reply to, answer

réponse *f.* reply

repos *m.* rest

reposer to place; se —, rest

repousser to reject

reprendre to repeat; reply

représentant *m.* representative, official

représenter to represent

reproche *m.* reproach

république *f.* republic

résider to reside, live

résigné resigned; meek

résistance *f.* resistance

résister (à) to resist

résoudre to solve

respecté respected

respirer to breathe, throb (*of an airplane*)

responsable responsible

ressembler (à) to resemble, look like; seem like; ne — en rien not to resemble at all

ressort *m.* spring; — de soupape valve spring

restaurer to restore (*to the throne*)

reste *m.* remainder

rester to remain, stay; il reste there remain(s)

résultat *m.* result

résumé *m.* summary

rétablir to restore

retard *m.* delay; slowness; en —, late

retardataire *m.* laggard

retenir to retain; remember; se —, restrain oneself

retirer: se —, to retire, withdraw

retomber to fall back, fall

retour *m.* return; au —, upon the return

retourner to turn over; return; se —, turn around

retraite *f.* retreat, refuge

retrouver to find (again); se —, find oneself again; se — les uns les autres find each other

réunion *f.* gathering; reunion

réunir to join together, unite; se —, meet; convene, be called

réussir to succeed

revanche *f.* return; en —, on the other hand

réveille-matin *m.* alarm clock

réveiller to waken; se —, wake up; se faire —, have oneself waked up

revenir to come back, return

rêver to dream

revoir to see again

révolte *f.* revolt

rhum *m.* rum; baba au —, *see* baba

riche rich, wealthy

rideau *m.*, *pl.* –x curtain; — de fer metal drop, metal shutter

ridicule ridiculous

rien nothing; — du tout nothing at all; ne ... —, nothing; ne ressembler en—,*see*ressembler

rigueur *f.* rigor; à la —, if need be, at a pinch

rire to laugh

rivage *m.* shore, beach

rive *f.* shore

rivière *f.* river

robe *f.* dress

roche *f.* rock

rocher *m.* rock, boulder

roi *m.* king

rompre to break

rond round

ronfler to snore

Ronsapouf *name of twelfth-century Patapouvian poet (cf.* Ronsard, *famous sixteenth-century French poet)*

rose pink, rosy

rosé rosy

roue *f.* wheel

rouge red

rougeole *f.* measles

rougir to blush

roulant rolling, moving; tapis —, *see* tapis

rouler to roll along

roulis *m.* rolling (*of a ship*)

route *f.* route, way; en —, on the way

royal, *pl.* –aux royal

royaume *m.* kingdom

rudesse *f.* harshness

rue *f.* street

Rugifer *name of president of the Filifers (cf.* rugir to roar, fer iron)

rugir to roar

rugissement *m.* roaring

ruine *f.* ruin

S

Sahapouf *m.* *desert country of the Patapoufs (cf.* Sahara, pouf puff)

Saint-Gapouf *city of the Patapoufs;* Forêt de —, *Patapouvian forest*

saisir to seize

salade *f.* lettuce; salad

sale (*fam.*) dirty, beastly, rotten

salle *f.* hall, room; — **à manger** dining room; — **d'attente** waiting room; — **des fêtes** banquet hall

salon *m.* drawing room

salsifis *m.* salsify (*a vegetable*)

salut *m.* safety; salvation

sandwich *m.* (*adapted from English*) sandwich

sanglier *m.* wild boar

sans without; except for; — **fin** *see* **fin**

sans que without; — **la question eût été posée** without the question having been raised

Sapouf *name of a Patapouf general*

satisfaction *f.* satisfaction; **avoir** —, to be satisfied

satisfaisant satisfactory

satisfait (de) satisfied (with), contented (with)

saucisson *m.* sausage

sauf except

saut *m.* leap, jump

sauver to save

sauvetage *m.* lifesaving; **canot de** —, lifeboat

savant *m.* scholar

savoir to know, know how; learn (*in past tenses*); — **bien** know (it) very well; — **que faire** know what to do; **il ne saurait être question de** it must not be a question of

scène *f.* scene; play

scie *f.* saw

science *f.* knowledge, learning

scrupule *m.* scruple; misgiving

scrutin *m.* voting

sculpter to sculpture, carve

séance *f.* session

seau *m.*, *pl.* −**x** pail

sèchement curtly

seconde *f.* second; **17″⅗** 17⅗ seconds

secret, −ète secret

secrétaire *m.* secretary

secrètement secretly

Seigneurie *f.* Lordship

selon according to

semaine *f.* week; **par** —, per week, a week

semblable similar

sembler to seem, appear

semer to sow; strew

sénat *m.* senate

sens *m.* sense; meaning; direction; — **interdit** no entry; **bon** —, good sense

sensible sensitive

sentiment *m.* feeling, sentiment

sentir to feel; **se** —, feel, feel oneself; **se faire** —, make oneself felt

séparer to separate

septième seventh

serein serene

sérieusement seriously

sérieux, −euse serious; **prendre au** —, *see* **prendre**

Serpe *f.* river of the Filifers (*cf.* **serpe** pruning hook)

serrer to press; **se** — **la main** shake hands

servir to serve; be useful; **se** — **de** make use of

serviteur *m.* servant

seul only; alone; **être** — **à admirer** to be the only one to admire; **un** —, one, one being, a single one

seulement only, but
sévère severe
sévèrement severely, sternly
sexe *m.* sex
si if, whether; (*in question*) what
if? supposing? if only!
si so, such; yes (*after a negative*);
— bien que *see* bien
siècle *m.* century
siéger to sit, be in session
sieste *f.* siesta, nap
sifflement *m.* whistling, whiz
siffler to whistle, whiz
signal *m., pl.* -aux signal, sign
signature *f.* signature
signe *m.* sign; signal; — d'amitié
friendly signal; faire —, to
beckon
signer to sign
signifier to signify, mean
silence *m.* silence
simple ordinary
sincère sincere, frank
sire *m.* sire (*title of address to
emperor or king*)
sirène *f.* siren, horn; coup de —,
see coup
sirop *m.* syrup, drink, soft drink
sis, -e situated
sixième sixth
société *f.* society; Société des
Nations League of Nations
soigneusement carefully
soin *m.* care
soir *m.* evening; 8 heures du —,
8 o'clock in the evening; le —,
in the evening
soirée *f.* evening
sol *m.* ground, earth; floor
soldat *m.* soldier
sole *f.* sole (*fish*)
soleil *m.* sun

solennité *f.* solemnity
solidité *f.* strength
sombre somber, gloomy
sommeil *m.* sleep
sommeiller to doze
sommet *m.* top
son *m.* sound
songe-creux *m.* dreamer, visionary
sonner to sound; strike (*of a
clock*)
Sophie Sophia
sorte *f.* sort, kind
sortie *f.* exit
sortir to go out, leave; get out;
come out; bring out; — de
table leave the table
sou *m.* sou (*5 centimes*)
soudain suddenly
souffler to pant; whisper, prompt
souffrir to suffer
souhaiter to wish
soulager to relieve; se —, relieve
one's mind
soulever to lift up, lift, raise;
bring up, cause; — une révolte
cause a revolt; se —, raise oneself; rise
souloir (*ant.*) to be wont
soumettre: se — (à) to submit (to)
soupape *f.* valve
soupir *m.* sigh
soupirer to sigh
souriant smiling
sourire *m.* smile
sourire to smile
sous under; by; at; — terre under
the earth
sous-sol *m.* underground
soutenir to hold up, support
souterrain underground, subter-
ranean

[168]

souvenir: se — (de) to remember
souvent often
souverain *m.* sovereign; en —, as
a sovereign
spécial, *pl.* -aux special
spectacle *m.* sight, spectacle,
scene
splendide magnificent
Spouf, Georges *a painter of the
Patapoufs*
sprint-ball *m.* (*neolog. taken from
English*) *game involving running
and a ball*
standardisation *f.* (*adapted from
English*) standardization
station *f.* railway station, subway
station
stationner to halt, stand; défense
de —, *see* défense
St-Gapouf *see* Saint-Gapouf
stupéfait stupefied, amazed
stupide stupid; silly
subir to undergo; submit to
succéder (à) to succeed
succès *m.* success; avoir du —,
to meet with success
sucreries *f. pl.* sweetmeats, sweets
sud *m.* south
suffire to suffice, be enough
suite *f.* rest, continuation; tout
de —, *see* tout
suivant following; according to
suivre to follow
sujet *m.* subject, matter; subject
(*of a state*) à ce —, in this regard; au — de in the matter of
supérieur superior, upper
Superobésa II *proposed name for
sovereign of restored Patapouf
kingdom* (*cf.* super super, obèse
fat)
supplier to beg

supporter to endure, tolerate,
stand, put up with
supprimer to abolish, do away
with
sur on, to; out of
sûr sure
sûrement surely, certainly
sûreté *f.* sureness; efficiency
surface *f.* surface; Surface surface
of the earth; Escaliers de Surface Surface Stairway (*i.e. leading to the surface*)
Surface-sur-Mer *seaport leading
to the "Surface"*
Surfacien *m.* (*neolog.*) *inhabitant
of the earth's surface*
surfacien, -ne of the "Surface,"
"Surface"
surmonter to surmount
surprenant surprising
surpris surprised
surprise *f.* surprise
surtout especially
susceptibilité *f.* susceptibility,
touchiness
sympathique likable

T

table *f.* table; à —, at the table
tableau *m., pl.* -x board; paint-
ing; — affiché bulletin board
tâcher to try
Tactifer *name of a general of the
Filifers* (*cf.* tactique tactics, fer
iron)
taille *f.* size; height, stature; tour
de —, *see* tour
taire: se —, to be silent, hold
one's tongue
tandis que whereas; while
tangage *m.* pitching (*of a ship*)

tant so, so much, so many; — il
était ravi so delighted was he;
— soit peu longtemps for any
length of time at all
tapis *m.* cloth; carpet; — roulant
traveling band (*on an escalator,
for example*)
taquin *m.* tease, torment; *adj.*
teasing, of a teasing disposition; trop —, too much of a
tease
tard late
tas *m.* heap, pile; les Tas de Pois
*group of islands off the coast of
the Patapoufs* (*cf.* pois peas)
tasse *f.* cup
teint *m.* complexion
tel, –le such; — que as, such as;
un — désir such a desire
télégramme *m.* telegram
télégraphe *m.* telegraph; postes
et —s *see* poste
téléphone *m.* telephone, phone
téléphoner to telephone
téléphonique telephone
tellement so, so greatly; so many,
so much; — ... que to such an
extent that
tempête *f.* storm, tempest
temporaire temporary
temps *m.* time; de — à autre
from time to time; en — ordinaire at ordinary times; en
même —, at the same time; il
n'est que —, it is high time;
peu de —, *see* peu
tendre to stretch; extend; hand
over, hold out, surrender
tendre tender
tendrement tenderly
tenir to hold, keep, have; — à
(*fol. by inf.*) be bent on, make

a point of; — compte de *see*
compte; — des comptes *see*
compte; — sa droite *see* droite;
se —, be held, be; stand, keep
oneself; tiens! well!
tentant tempting, alluring
terme *m.* term
terminer to finish; se —, end
terrain *m.* terrain, ground
terrassement *m.* digging; travaux
de —, excavating, digging
terrassier *m.* ditch digger
terre *f.* earth; soil; pomme de —,
see pomme
terrestre terrestrial, earthly
terreur *f.* terror
terriblement terribly
tête *f.* head; — de ligne starting
point, terminal
têtu stubborn
texte *m.* text
thé *m.* tea
théâtre *m.* theater
thème *m.* topic, problem
tige *f.* stem; — de piston piston
rod; — filetée threaded rod
timbre *m.* postage stamp
timidement timidly
tirer to draw, take out; pull
tiret *m.* dash
titre *m.* title; capacity
titulaire *m.* holder
toile *f.* cloth; canvas
tomate *f.* tomato
tomber to fall
tome *m.* (large) volume, tome
ton *m.* tone
tordre to twist
tôt early; plus —, earlier
toucher to touch, move, stir
toujours always
tour *f.* tower

tour *m.* turn; — **de poitrine** chest measurement; — **de taille** waist measure; **à son** —, in turn, also; **faire le** — **de** to go around (behind); visit; **mètres de** —, meters in girth
tournant revolving
tournedos *m.* fillet steak
tourner to turn; **se** —, turn
tournure *f.* turn, direction
tousser to cough
tout, toute, *pl.* **tous, toutes** all, each, every; (*pron.*) everything, *pl.* everybody, all; — **le monde** *see* **monde; capable de** —, capable of anything, apt to do anything; **pas du** —, not at all; **rien du** —, *see* **rien; tous deux** both of them; **tous les deux** both
tout (*adv.*) entirely, all, very; — **à fait** entirely; — **de même** *see* **même;** — **de suite** immediately; — **en** all while, while
trahison *f.* treason, betrayal
traîner to drag, pull along
trait *m.* dash, line; trait
traité *m.* treaty
traitement *m.* treatment
traiter to treat
traîtreusement treacherously
tramway *m.* streetcar
tranchée *f.* trench
tranquille quiet, peaceful
transmettre to transmit
transmission *f.* transmission; **arbre de** —, driving shaft
transport *m.* conveyance; transportation
transporter to transport, carry
travail *m.,* *pl.* **-aux** work; operation; **travaux de campagne** manual labor connected with a military campaign; **travaux de terrassement** *see* **terrassement**
travailler to work
travers *m.* breadth; **à** —, across, through
traversée *f.* crossing
traverser to cross, go through
trente-sept thirty-seven
très very
tribu *f.* tribe
triomphal triumphal
triomphalement triumphantly
triomphe *m.* triumph
triompher to triumph, win
Tripouf *name of a commanding officer of the Patapoufs*
triste sad
tristement sadly
tristesse *f.* sadness
troisième third
trop too, too much
trou *m.* hole
troupe *f.* troop
trouver to find; consider, think; — **à qui parler** meet one's match; **se** —, be, be found, find oneself
tube *m.* tube, pipe
tubulaire tubular, tube-shaped
tuer to kill
tuyau *m.,* *pl.* **-x** tube, pipe
type *m.* type, kind

U

un a, an; one; — **à** —, one by one; **l'** —, one; **l'** — **sur l'autre** on each other; **l'** — **vers l'autre** toward each other; **les** —**s** some; **les** —**s aux autres** to

each other; les —s des autres
of each other; les —s les
autres each other
uni united
uniforme *m.* uniform
union *f.* union
unique sole, only
usage *m.* use
utile useful
utiliser to use, utilize

V

vacances *f. pl.* vacation
vague *f.* wave
vaillant courageous
vain vain; en —, in vain
vaincre to conquer
vaincu conquered
vainqueur *m.* victor, conqueror;
adj. victorious
vaisseau *m., pl.* -x ship, vessel
valeur *f.* value; — de protection
protective value
valoir to be worth; — mieux be
better
vanille *f.* vanilla; colle à la —,
see colle
vanter to boast of
Varsovie Warsaw (*capital of Poland*)
vaste vast, spacious
veille *f.* preceding day, the day
before; — du départ the day
before the departure
vendre to sell
venir to come; — de (*fol. by inf.*)
have just; en — à come to;
faire —, send for
ventre *m.* stomach
véritable true
vérité *f.* truth

vermicelle *m.* vermicelli (*similar
to spaghetti, but more slender*)
verre *m.* glass; drinking glass; —
en carton paper cup
vers *m.* verse, line (of poetry)
vers toward; about
vert green
vêtement *m.* garment; *pl.* clothes
vêtir to clothe, dress
vêtu dressed
viande *f.* meat
vicieux, —euse vicious, bad
victorieusement victoriously
victorieux, —euse victorious
vide empty
vider to empty, pour
vieux, vieil, vieille old, elderly
vif, vive lively; brisk
vigoureux, —euse vigorous, strong
vilebrequin *m.* brace and bit
villa *f.* country house; cottage,
villa
village *m.* village
ville *f.* city; hôtel de —, *see* hôtel
vin *m.* wine
violet, —te purple
vis *m.* screw; Vis *city of the
Filifers*
visage *m.* face
visible visible, perceptible
visite *f.* visit; recevoir la — de
quelqu'un to receive (be visited
by) someone; rendre — à *see*
rendre
vite quickly; le plus — possible
as quickly as possible
vitesse *f.* speed; à toute —, at full
speed
vitre *m.* windowpane
vitrine *f.* shopwindow
vivant alive
vivement warmly; greatly

vivre *m.* living; **les —s** supplies, foodstuffs

vivre to live; **vive la paix!** hurrah for peace!

voici here is, here are

voie *f.* track

voilà there is, there are

voir to see; **affreux à —**, frightful to look at; **faire —**, *see* **faire**; **se —**, see oneself, find oneself

voisin, –e *m. and f.* neighbor

voisin near

voisinage *m.* proximity, nearness

voiture *f.* carriage; automobile

voix *f.* voice; **à haute —**, aloud; **à portée de ma —**, *see* **portée**

volant *m.* steering wheel

volonté *f.* will; **bonne —**, good will

volontiers willingly

volume *m.* volume

Vorapouf *name of chancellor of the Patapoufs* (*cf.* **vorace** voracious)

voter to vote

vouloir to wish, want, like; **— bien** want, be willing, give one's consent; **— dire** mean; **je voudrais bien** I should like very much, I should be happy

voûte *f.* vault

voyage *m.* trip, journey

voyager to travel

voyageur *m.* traveler

vrai true; real

vraiment truly, really

vue *f.* view; **à — d'œil** *see* **œil; en — de** in view of

W — Y

wagon *m.* railway car

whiz whiz! (*imitating sound of bomb in air*)

whra-ra *imitation of sound of airplane motor*

y there

yeux *pl. of* **œil**

QUI GAGNE DU TEMPS GAGNE SON PAIN

LIBERTÉ

ARMS OF THE FILIFERS

TIERCED IN PALE PARTY IN COEUR GULES AND FLANQHES ARGENT AND
CHIEF INDENTED AZURE, DEXTER CHARGED WITH WAX-PALM WITH LIB-
ERTY PENNANT GULES, COEUR WITH DEXTER ARM EMBELLISHED AZURE
HOLDING RAPIER ARGENT POSED IN POINT ON QUINTAIN ISSUANT FROM
A HILT SABLE, ESCUTCHEON ARGENT WITH BEND-SINISTER SABLE AC-
COMPANIED BY TWO ROUNDELS GULES AND AZURE BEFORE A VIVRÉ OF
TELEGRAPH WIRES, SINISTER WITH HEAD OF CAYMAN NAISSANT WITH
OPENING GULES AND MOVING PENDULUM OF A CLOCK.